무비 스님의 유마경 강설

중권

【 개정증보판 】

KB207548

무비 스님의 유마경 강설

중권

구마라습鳩摩羅什 한역
무비 스님 강설

담앤북스

개정판 서문

이 책이 2012년에 처음으로 출판이 되었으나 편집과 체제와 내용들이 미흡한 점이 많아서 늘 마음에 남아 있었는데『화엄경』강설 81권을 거칠게나마 탐색하여 마치고 드디어『유마경』공부를 다시 시작하게 되었습니다. 그래서 개정판을 내어 미흡한 점을 다소 보완하고자 하였습니다.

『유마경』은『화엄경』을 강의하거나『법화경』을 강의하거나 언제나 빠지지 않고 자주 인용하는 아주 뛰어난 대승경전입니다. 또한『화엄경』과『법화경』과『열반경』과 같이 가장 우수한 불교의 불이사상不二思想과 아울러 대승보살사상을 잘 선양하고 있는 경전입니다. 그래서『유마경』을 소화엄小華嚴이라고도 합니다.

이와 같은 경전이므로 평소에 매우 애착하여 왔으며 오래전 한문교재를 몇 번 출판하였으며 강의도 몇 차례 하였습니다. 다만 마음에 드는 강설 책을 내지 못한 것이 아쉬움으로 남아 있었는데 이번에 인연이 되어 이렇게 개정판을 내게 되었습니다.

저의 주변에는 제가 하는 법공양의 취지를 잘 이해하고 물심양면으로 돕고자 하는 분들이 많으며 지식과 재능으로 보시하시는 분들도 적지 않아서 이와 같이 부처님의 법을 널리 펴는 데 아직은 마음도 바닥이 나지 않고 주머니도 바닥이 나지 않아 큰 어려움 없이 잘 진행이 되고 있습니다.

　저의 법공양 운동에 여러 가지로 동참하신 모든 분들에게 일일이 방명芳名을 거론하지 못함을 죄송스럽게 생각하며, 이 자리를 빌려서 심심한 감사의 뜻을 전합니다. 고맙습니다.

2020년 2월 1일
신라 화엄종찰 금정산 범어사
如天 無比

초판 서문

불교에는 수많은 경전이 있다. 그리고 각 경전마다 대지大旨 또는 종지宗旨라고 하는 큰 주제가 있다.

옛 사람들은『유마경』의 큰 뜻을 유마 거사의 침묵으로 표현되는 불이법문不二法門에 두었으나 필자는 "사람들이 아프니 나도 아프다. 생명들이 아프니 나도 아프다. 산천초목들이 아프니 나도 아프다."라는 가르침으로 그 큰 뜻을 삼는다. 불교 교리가 아무리 뛰어나다 한들 아파하는 생명들을 외면한다면 그 심오한 교리가 무슨 가치가 있으며 무슨 쓸데가 있겠는가.

그러나『유마경』이 어찌 그와 같은 의미뿐이겠는가. 불교를 어설프게 공부한 사람들의 편협하고 치우친 안목을 여지없이 깨뜨리고, 허공처럼 드넓고 툭 터진 인간의 본성을 깨우치며, 대승불교의 근본과 줄기들을 총망라하여 불교공부의 진실로 돌아갈 바를 남김없이 제시하고 있다.

거기에 더하여 유마 거사가 한번 입을 열어 법을 설하면 그 화려하기가 저『화엄경華嚴經』에 사양하지 않는다. 참으로 화려하다 못해 현란하다고 서슴없이 표현하는 까닭이 여기에 있다. 『유마경』
을 읽다 보면 벌어진 입이 다물어지지 않는 이유가 그것이다.

　필자는 2009년 10월 28일부터 3일간 서울에 있는 비구니회관 법
융사에서 전국의 비구니 스님들과 신도님들을 대상으로『유마경』강
설 법회를 하게 되었다. 청법請法의 부탁을 받고 법회를 준비하면서
'미리 번역과 강설을 했더라면 더 훌륭한 법회가 되었을 텐데.'라고
하는 생각을 하였는데 그때 그 마음이 지금에 이르러 이 강설을 쓰게
되었다.

　유마 거사는 자신의 병고를 통하여 만고의 절창『유마경』을 탄생
시켰다. 그리고 천하의 둔재인 필자는 2003년 7월 25일부터 앓아
온 병고 덕분으로 하찮은 공부지만 불법에 대해서 그나마 좀 더 깊
고 넓어지게 되었다. 생각해 보면 이 몹쓸 병고도 참으로 고마운
경책의 스승이며 선지식이다. 화중생연火中生蓮이라는 말 그대로 불
꽃 속의 연꽃이요, 병고중病苦中의 공부다. 지금까지 10년째를 앓
고 있으며 또한 세납 칠순을 맞는 해다. 필자는 자신의 병고 덕분

에 유마 거사의 병고에 관한 경전을 강설하게 되었으니 이 또한 무슨 정해진 인연인가 하는 생각이 든다. 인생사 세상사가 모두 인연이라 하던가.

병고를 이기려고 진통제 삼아 한 줄 한 줄 써 내려간 것이 이렇게 출판을 하기에 이르렀으니 방울물이 바위를 뚫는다는 이치가 실로 헛말이 아님을 알겠다.

그동안 내가 앓는 병고 때문에 알게 모르게 고생한 사람들도 많고 음으로 양으로 도움을 주신 분들도 대단히 많다. 언제나 생각하는 일이지만 세상에 태어나 어려서부터 불법문중佛法門中에 몸을 담고 살아오면서 참으로 과분하게 빚을 지며 은혜를 입었다. 위로는 부처님과 조사님들의 은혜와 스승님들과 도반들의 은혜며, 신도님들의 그 많은 빚과 은혜를 아무래도 갚을 길이 없다.

그래서 오직 아픈 몸을 이끌고라도 인연이 닿는 대로 법회를 하며, 다음 카페 〈염화실〉을 통해서 열심히 전법傳法을 하고, 한편 힘이 닿는 대로 경전을 출판하고 사경본寫經本을 만들어 법공양을

올리고, 또 이렇게 좁은 안목으로라도 능력이 미치는 데까지 부처님과 조사님들의 말씀을 이 시대 사람들이 이해할 수 있도록 새롭게 풀어서 널리 전하는 일에 매진하는 것뿐이라고 생각하여 오늘에 이르고 있다. 그래서 부족하지만 이렇게 회향하는 일을 허공계가 다하고, 중생계가 다하고, 중생의 번뇌가 다하고, 중생의 업이 다할 때까지 하고자 하는 마음 간절하여 길이길이 이어지기를 서원하는 바이다.

이 인연 이 공덕으로 모든 사람 모든 생명들의 마음이 태양처럼 밝아지고 지혜가 툭 터져서 항상 해탈감이 넘쳐나서 매일매일이 평화롭고 행복하기를 간절히 바라는 바이다. 다시 한 번 불보살님들과 수많은 분들의 은혜에 진심을 다해서 깊은 감사를 드린다.

2012년 하안거 중에
금정산 범어사 화엄전에서 如天 無比 삼가 씀

차례

維摩經

무비 스님의
유마경 강설
中

암라원법회庵邪園法會

문수문질文殊問疾

문수사자좌文殊獅子座

화보살봉반化菩薩奉飯

유마힐불소維摩詰佛所

동진변상童眞變相

일러두기

1. 『무비 스님의 유마경 강설』의 원문은 현존하는 한역韓譯 3본本 중에서 일반적으로 가장 많이 읽히는 삼장법사 구마라습鳩摩羅什 역譯『유마힐소설경維摩詰所說經』(3권) 을 저본으로 하였습니다.

2. 『무비 스님의 유마경 강설』상·중·하 권두卷頭에는 암라원법회庵那園法會, 문수 문질文殊問疾, 문수사자좌文殊獅子座, 화보살봉반化菩薩奉飯, 유마힐불소維摩詰佛所, 동진변상童眞變相 등 6종의 변상도를 실었습니다. 이는 1854년 철원 성주암聖住庵 에서 3책으로 간행된 목판본『유마힐소설경』에 실린 그림입니다.

五. 문수사리문질품 文殊師利問疾品

　부처님은 그동안 십대제자들에게 유마 거사에게 가서 문병하는 일을 부촉하였으나 그들은 지난날 유마 거사와의 만남에서 유마 거사의 법력이 자신들보다 우수함을 알고 모두 사양하였다. 다시 여러 보살들에게 문병 가기를 부촉하였으나 그들도 역시 법력이 부족함을 알고 모두 사양하였다. 부처님은 드디어 문수보살에게 문병을 부촉하였다. 문수보살은 하는 수 없이 문병을 가게 되고 문병하는 자리에서 역사적인 고준한 법담이 펼쳐지게 된다. 그 법담은 「불이법문품」에서 유마 거사의 침묵으로 절정을 보여 주고 있다.

1. 문수보살의 문병

이시　　불고문수사리　　　여행예유마힐문질
爾時에 佛告文殊師利하사대 汝行詣維摩詰問疾하라

문수사리　　백불언　　　세존　　피상인자　　난위수
文殊師利가 白佛言하사대 世尊이시여 彼上人者는 難爲訓

대　심달실상　　선설법요　　변재무체　　지혜무
對라 深達實相하야 善說法要하며 辯才無滯하여 智慧無

애　　일체보살　법식　실지　　제불비장　무부득
礙하며 一切菩薩의 法式을 悉知하며 諸佛秘藏에 無不得

입　　항복중마　　유희신통　　기혜방편　개이득
入하며 降伏衆魔하야 遊戲神通하며 其慧方便에 皆已得

도　　수연　　당승불성지　　예피문질
度나이다 雖然이나 當承佛聖旨하사와 詣彼問疾하리이다

그때에 부처님이 문수사리에게 말씀하였다.

"그대가 유마힐에게 가서 문병하여라."

문수사리가 부처님께 말하였다.

"세존이시여, 저 상인上人에게는 대답하기가 어렵습니다. 실상을 깊이 통달하여 법요를 잘 설하며 변재가 막힘이 없습니다. 지혜가 걸림이 없으며 일체 보살의 법식法式을 다 압니다. 모든 부처님의 비밀스러운 법장에 다 들어가며 모든 마군을 항복받아서 신통에 잘 노닐며 그 지혜와 방편을 다 이미 이뤘습니다. 비록 그러나 마땅히 부처님의 성스러운 뜻을 받들어 그분에게 가서 문병하겠습니다."

드디어 부처님은 지혜가 가장 뛰어난 문수사리에게 문병 가기를 부탁하였다. 문수사리는 그동안의 여러 정황으로 보아 아무래도 자신이 갈 수밖에 없음을 알고 부처님의 뜻을 받들어 문병을 가겠다고 하였다. 그러면서 유마 거사의 훌륭한 점을 몇 가지 들어서 서로 문답하기가 대단히 어려우리라는 말을 덧붙였다. 부처님의 모든 제자들이 그를 상대할 수 없으며 보살들까지도 그를 상대할 수 없다는 사실은 당시 승단 중심의 제도권 안의 불교가 얼마나 권위주의적이며 얼마나 형식적이며 얼마나 소승적인 불교였나를 짐작할 수 있게 한다. 그래서 일어난 운동이 대승불교운동이며, 대중불교운동이며, 인간불교운동이었다. 이『유마경』은 곧 이러한 운동의 선언서와 같은 역할을 하였다. 아무튼 이제 문수사리는 수많은 대중을 거느리고 비야리 대성大城을 향해 유마 거사의 문병을 가게 된 것이다.

어시중중   제보살대제자   석범사천왕   함작시
於是衆中에 諸菩薩大弟子와 釋梵四天王이 咸作是

념   금이대사문수사리   유마힐   공담   필설묘
念하되 今二大士文殊師利와 維摩詰이 共談에는 必說妙

법   즉시팔천보살   오백성문   백천천인   개
法이라하고 卽時八千菩薩과 五百聲聞과 百千天人이 皆

욕수종   어시   문수사리   여제보살대제자중
欲隨從이어늘 於是에 文殊師利가 與諸菩薩大弟子衆과

급제천인   공경위요   입비야리대성
及諸天人으로 恭敬圍繞하고 入毘耶離大城이러라

대중 가운데 여러 보살과 큰 제자들과 제석천과 범천과 사천왕이 다 같이 이런 생각을 하였다. '지금 두 대사大士인 문수사리와 유마힐이 함께 이야기를 나누면 반드시 묘법을 말하리라.'하고는 곧 8천 명의 보살과 5백 명의 성문과 백천 천인

이 다 따라가고자 하였다. 이에 문수사리가 여러 보살과 큰 제자들과 모든 천인에게 공경히 둘러싸여서 비야리 대성大城에 들어갔다.

　대사大士란 보살을 달리 번역한 말이다. 문수사리도 보살이며 유마 거사도 보살이다. 문수보살은 그 많은 보살들 중에 지혜가 제일인 보살이며 유마 거사는 세속에서 부처님과 같은 존경과 추앙을 받는 보살이다. 이와 같은 두 분의 역사적인 대담이 막 이뤄지려는 순간이다. 주변에 있는 그 많은 보살과 부처님의 큰 제자들은 참으로 기대가 크다. 그 어떤 묘법의 말씀이 오고갈는지 차마 상상하기가 어렵다. 그래서 모두들 들뜬 마음으로 너도 나도 문수보살을 따라 유마 거사가 있는 비야리 대성으로 구름이 몰려가듯이 가고 있다.

2. 유마힐의 영접

이 시   장 자 유 마 힐   심 념   금 문 수 사 리   여 대
爾時에 **長者維摩詰**이 **心念**하되 **今文殊師利**가 **與大**

중 구 래   즉 이 신 력   공 기 실 내   제 거 소 유   급
衆俱來라하고 **卽以神力**으로 **空其室內**하야 **除去所有**와 **及**

제 시 자   유 치 일 상   이 질 이 와
諸侍者하고 **唯置一牀**하여 **以疾而臥**러라

그때에 장자 유마힐이 마음으로 생각하기를 지금 문수사리
가 대중과 함께 오고 있다고 하여 곧 신통력으로 그의 집안을
모두 비우고 온갖 소유물과 여러 시자도 다 없애고 오직 평상
만 하나 놓아두고 병을 앓으며 누워 있었다.

유마힐은 문수사리가 오는 것을 알고 손님 맞을 준비를 하였다.
유마힐이 문수사리를 상대하는 첫 번째 준비가 방을 텅 비운 것이
다. 그것은 사람을 상대하거나 사물을 대하거나 일체 경계를 대함

에서 자신을 텅 비우는 태도가 가장 중요하다는 것을 상징적으로 보여 준 것이리라. 만약 마음에 사람을 보는 기준이나 선입견이나 자기에 대한 의식이 있으면 대상을 있는 그대로 순수하고 여실하게 보지 못할 것이기 때문이리라.

文殊師利가 旣入其舍에 見其室空하야 無諸所有하고

獨寢一牀이러니 時에 維摩詰이 言하사대 善來文殊師利여

不來相而來하고 不見相而見이니이까 文殊師利言하사대 如

是니다 居士여 若來已인댄 更不來하고 若去已인댄 更不去

니 所以者何오 來者는 無所從來요 去者는 無所至며 所

可見者는 更不可見이니 且置是事하니라

문수사리가 이미 그의 방에 들어가니 아무것도 없고 침상 하나

만 홀로 있었다.

그때에 유마힐이 말하였다.

"잘 오셨습니다. 문수사리여, 오지 않고 오셨으며 보지 않고 봅니다."

문수사리가 말하였다.

"그렇습니다. 거사여, 만약 와 버렸다면 다시는 오지 못하며, 만약 가 버렸다면 다시는 가지 못합니다. 왜냐하면 오는 사람은 어디에서 오는 바가 없으며 가는 사람은 이를 곳이 없으며 볼 것이 있는 사람은 다시는 보지 못합니다. 그러나 이 일은 잠시 이쯤에서 그만두겠습니다."

부처님을 제외하고 세상에서 가장 지혜가 뛰어난 두 사람이 만난 순간이다. 문수사리는 유마힐의 집에 이르러 텅 비어 아무것도 없는 것을 보았다. 세속의 차원과 불교의 차원이 다른 가장 기본이 되는 것은 모든 존재를 우선 공空으로 보는 견해다. 다음은 있음에서 없음을 보고 없음에서 있음을 보아 있음과 없음을 융화하여 양쪽 변에 걸림 없이 수용하는 중도中道로 나아가야 할 단계이다. 유마 거사는 그 표현을 당신의 집에 와서 서로 만남을 들어 표현하였으며 문수사리는 더욱 부연하여 설명하였다. 오고 가고 보는 것이 양변에 떨어지지 않고 철저히 중도의 이치에 합당하여야 한다는 내용으로 첫 법거량法擧揚을 마쳤다.

3. 유마힐의 병

거사 시질 영가인부 요치유손 부지증호
居士여 **是疾**을 **寧可忍不**닛까 **療治有損**하야 **不至增乎**

세존 은근치문무량 거사 시질 하소인
닛까 **世尊**이 **殷勤致問無量**이러시다 **居士**여 **是疾**이 **何所因**

기 기생 구여 당운하멸
起며 **其生**이 **久如**며 **當云何滅**이닛까

"거사여, 병은 참을 만합니까? 치료는 차도가 있습니까? 더
심하지는 않습니까? 세존께서 걱정하시면서 간곡하게 물으셨
습니다. 거사여, 이 병은 무슨 원인으로 생긴 것입니까? 병이
난 지는 얼마나 되었습니까? 어떻게 하면 나을 수 있습니까?"

환자에게 병문안을 왔을 때 무슨 말부터 해야 할까. 참으로 조
심스러운 일이다. 천하의 문수보살의 문안이니 자세히 살펴보아야
할 것이다. 먼저 자신의 마음부터 말하고, 다음으로 세존의 말씀

을 전하고, 그 다음으로 병이 난 까닭을 묻고, 또 언제 병이 났으며, 언제 나을 것인가를 물었다. 유의해서 생각해 볼 일이다. 이것이 아마도 문병의 정석일 것이다.

維摩詰이 言하사대 從痴有愛일새 則我病生하고 以一切 衆生이 病일새 是故로 我病이어니와 若一切衆生이 得不病 者인댄 則我病滅이니 所以者何오 菩薩이 爲衆生故로 入 生死하나니 有生死則有病이어니와 若衆生이 得離病者인댄 則菩薩이 無復病이니다

유마힐이 말하였다.

"어리석음으로부터 애착이 있어서 나의 병이 생긴 것입니다. 일체중생이 병이 들었기 때문에 나도 또한 병이 들었습니다. 만약 일체중생의 병이 나으면 나의 병도 나을 것입니다. 왜냐

하면 보살은 중생을 위해서 생사에 들어갑니다. 생사가 있으면 병이 있지만, 만약 중생이 병이 없어지면 보살도 병이 없어집니다."

유마 거사는 병이 난 원인을 먼저 말하고 다음으로 병이 나을 때를 말하였는데 그 원인이란 중생에 대한 애착 때문에 중생들이 아프니 나도 아프게 되었다는 말이다. 어린 자식이 아픈데 어떤 부모가 아프지 않겠는가. 보살로서의 자비한 마음 때문에 병고를 앓는다는 것이다. 그러므로 중생의 병이 나으면 보살의 병도 나을 것이다. 궁극적으로 보살은 중생들의 생사의 병이 영원히 나아야 보살의 병도 영원히 낫는다는 대답이었다. 중생들이 아픈데 어찌 보살이 아프지 않겠는가. 그러므로 보살은 중생들과 더불어 영원히 아플 것이다.

여기에 나오는 "일체중생이 아프므로 나도 또한 아프다[一切衆生病 是故我病]."라는 말은 『유마경』에서 유명한 명언이다. 필자는 불이법문不二法門보다도 더 높이 두고 싶은 말이다. 『유마경』의 사구게四句偈다. 둘이 아니라는 이치는 원인이고 함께 아프다는 것은 결과다. 함께 아픈 것은 너와 내가 둘이 아니기 때문이다. 보살은 중생을 위해서 생사에 들어가고, 생사에 들어가면 병이 있게 마련이다. 그래서 중생에게 병이 없어져야 보살도 병이 없어진다. 중생에게 생사가 있고 병이 있는 한 보살은 영원히 병이 있을 것이다. 인간 세상에 병이 있고 문제가 있고 갈등이 있는 한 불교는 영원히 아픔이 있다. 이것이 부처님의 마음이며 보살의 마음이다. 이것이 진정한 불교다.

비여장자 유유일자 기자득병 부모역병
譬如長者가 **唯有一子**어든 **其子得病**이면 **父母亦病**하고

약자병유 부모역유 보살 여시 어제중생
若子病愈하면 **父母亦愈**라 **菩薩**도 **如是**하여 **於諸衆生**에

애지약자 중생병즉보살병 중생병유 보살
愛之若子하나니 **衆生病則菩薩病**하고 **衆生病愈**하면 **菩薩**

역유 우언시질 하소인기 보살질자 이대
亦愈니다 **又言是疾**이 **何所因起**오하시니 **菩薩疾者**는 **以大**

비기
悲起니다

"비유하자면 장자에게 오직 아들이 하나 있는데 그 아들이 병이 들었으면 부모도 또한 병이 들고, 만약 아들이 병이 나으

면 부모도 또한 병이 낫는 것과 같습니다. 보살도 또한 그와 같아서 모든 중생을 사랑하기를 아들과 같이 합니다. 중생이 아프면 보살도 아프고 중생이 병이 나으면 보살도 또한 낫습니다. 또 말하기를 병이 왜 생겼느냐고 하였는데 보살의 병은 큰 연민의 마음으로 생긴 것입니다."

『유마경』에서 가장 중요하며 어쩌면 불교의 수많은 가르침 중에서도 가장 중요한 "일체중생이 아프므로 나도 또한 아프다."라는 말을 비유를 들어 더욱 분명하게 밝히는 내용이다. 독자獨子를 둔 아버지가 그 아들이 병이 들었을 때 그 부모도 역시 병이 들듯이 보살은 중생을 생각하기를 그와 같이 한다고 하였다. 그리고 "보살의 그와 같은 아픔은 오로지 중생을 크게 연민스럽게 여기는 마음에서다."라고 하였다.

4. 비어 있음[空]에 대한 문답

문수사리언 거사 차실 하이공 무시자
文殊師利言하대 **居士**여 **此室**에 **何以空**하야 **無侍者**니이까

유마힐 언제불국토 역부개공 우문이하위공
維摩詰이 **言諸佛國土**도 **亦復皆空**이니다 **又問以何爲空**

답 왈 이공 공 우문공하용공 답 왈 이
니이까 **答曰 以空**으로 **空**이니다 **又問空何用空**이니까 **答曰 以**

무분별공고 공 우문공가분별야 답 왈 분별
無分別空故로 **空**이니다 **又問空可分別耶**닛까 **答曰 分別**

역공 우문공당어하구 답 왈 당어육십이견중
亦空이니다 **又問空當於何求**닛까 **答曰 當於六十二見中**

구
에 **求**니다

문수사리가 말하였다.

"거사여, 이 방이 왜 텅 비었으며 시자가 없습니까?"

유마힐이 말하였다.

"모든 부처님의 국토도 또한 텅 비었습니다."

문수사리가 또 물었다.

"무엇으로써 텅 빈 것을 삼습니까?"

답하였다.

"텅 비어 있기 때문에 텅 빈 것입니다."

또 물었다.

"그러면 그 비어 있는 것은 무슨 까닭으로 비어 있습니까?"

답하였다.

"분별이 없어 비어 있으므로 비어 있음입니다."

또 물었다.

"비어 있음을 분별할 수 있습니까?"

답하였다.

"분별도 또한 비어 있습니다."

또 물었다.

"비어 있음은 마땅히 어디에서 구합니까?"

답하였다.

"마땅히 62견 중에서 구합니다."

유마 거사가 자신의 방이 텅 비어 있음[空]을 보이면서 이 비어 있음은 모든 부처님의 국토, 즉 일체 세계가 다 비어 있다는 말을 문수사리는 끈질기게 비어 있음을 파고들며 분석하였다. 종국에는 그 비어 있음을 오히려 62견 중에서 구한다고 하였다. 62견이란 모든 사견邪見에 의한 있음의 주장이다. 비어 있음이 결국에는 있음으로부터 알게 된다는 내용이다. 곧 색즉시공色卽是空이며 공즉시색空卽是色의 이치로 풀이하였다.

又問六十二見은 當於何求닛까 答日 當於諸佛解脫
우 문 육 십 이 견　당 어 하 구　　답 왈 당 어 제 불 해 탈

中求니다 又問諸佛解脫은 當於何求니이까 答日 當於一
중 구　우 문 제 불 해 탈　당 어 하 구　　답 왈 당 어 일

切衆生心行中求니다
체 중 생 심 행 중 구

문수사리가 또 물었다.

"62견은 마땅히 무엇에서 구합니까?"

답하여 말하였다.

"마땅히 모든 부처님의 해탈에서 구합니다."

또 물었다.

"모든 부처님의 해탈은 마땅히 어디에서 구합니까?"

답하였다.

"마땅히 일체중생의 마음작용[心行]에서 구합니다."

62견이란 결국 일체중생의 마음작용이다. 일체중생의 마음작용에서 갖가지 분별을 일으키고, 그 갖가지 분별은 모두가 편견을 낳고, 그 편견들은 세상을 어지럽게 만들고 갈등을 조장하는 것이다. 그러나 그러한 62견이 곧 모든 부처님의 해탈이다. 해탈과 중생의 마음작용은 둘이 아니다. 어둠이 곧 밝음이고 밝음이 곧 어둠이다. 어둠을 버리면 밝음은 존재하지 않고 중생의 마음작용을 버리면 부처님의 해탈은 존재하지 않기 때문이다.

又仁所問何無侍者오하니 一切衆魔와 及諸外道가 皆

吾侍也니다 所以者何오 衆魔者는 樂生死어늘 菩薩은 於

생사   이불사   외도자   낙제견   보살   어제견
生死에 而不捨하며 外道者는 樂諸見이어든 菩薩은 於諸見

　이 부 동
에 而不動이니다

"또 인자仁者께서 나에게는 어찌하여 시자가 없는가를 물었
는데, 일체 마군과 모든 외도가 다 나의 시자입니다. 왜냐하면
온갖 마군들은 생사를 좋아하지만 보살은 생사를 버리지 아니
하며, 외도는 여러 가지 견해를 좋아하지만 보살은 모든 견해
에 움직이지 않습니다."

문수사리가 유마 거사에게 시자가 없음을 질문한 것을 들어서
답을 하는 부분인데 역시『유마경』의 명언이 등장하였다. 모든 마
군과 외도들이 자신의 시자라고 하였다. 경문經文의 "온갖 마군들
은 생사生死를 좋아하지만 보살은 생사를 버리지 아니하며, 외도는
여러 가지 견해를 좋아하지만 보살은 모든 견해에 움직이지 않습
니다[衆魔者樂生死 菩薩於生死而不捨 外道者樂諸見 菩薩於諸見而不動]."라는
말이다.

시자란 정신적으로 육체적으로 나를 돕는 사람이다. 진정한 보
살에게는 마군과 외도가 나를 돕는 사람이다. 나를 존경하고 나

를 따르는 사람보다 오히려 나의 수행과 공부에 훨씬 도움이 되고
보탬이 되고 그들에게서 배울 점이 많기 때문이다.

5. 병의 형상

문수사리언 거사소질 위하등상 유마힐언
文殊師利言 居士所疾이 爲何等相이니까 維摩詰言하되

아병 무형불가견 우문차병 신합야 심합야
我病은 無形不可見이니다 又問此病이 身合耶아 心合耶아

답왈비신합 신상리고 역비심합 심여환고
答曰非身合이니 身相離故며 亦非心合이니 心如幻故니다

우문지대수대화대풍대 어차사대 하대지병
又問地大水大火大風大인 於此四大에 何大之病이니까

답왈시병 비지대 역불리지대 수화풍대 역
答曰是病은 非地大로대 亦不離地大며 水火風大도 亦

부여시 이중생병 종사대기 이기유병 시
復如是하나니 而衆生病이 從四大起라 以其有病일새 是

고 아병
故로 我病이니다

문수사리가 말하였다.

"거사님의 병은 어떤 모습입니까?"

유마힐이 말하였다.

"나의 병은 형상이 없어서 볼 수 없습니다."

또 물었다.

"이 병은 몸과 합한 것입니까, 마음과 합한 것입니까?"

답하였다.

"몸과 합한 것이 아닙니다. 몸과 서로 떨어져 있습니다. 또한 마음과 합한 것도 아닙니다. 마음은 환영과 같기 때문입니다."

또 물었다.

"지대地大·수대水大·화대火大·풍대風大, 이 사대 중 어느 대의 병입니까?"

답하였다.

"이 병은 지대地大가 아니지만 또한 지대를 떠난 것도 아닙니다. 수대·화대·풍대도 또한 이와 같습니다. 중생의 병이 사대로부터 생기므로 그러한 병이 있습니다. 그러므로 저도 병이 들었습니다."

유마 거사의 설명에 의하면 "병이란 형상이 없으며 몸과 합한 것도 아니며 마음과 합한 것도 아니다. 그러나 지수화풍 사대와는 합한 것도 아니며 떨어진 것도 아니다. 다만 중생의 병이 사대로부터 생긴 것이므로 나도 또한 병이 들었다."라고 하였다. 그렇다면 병은 지수화풍 사대와는 깊은 관계가 있는 것이 사실이다.

필자는 30대에 간이 나빠져서 당시 명의名醫로 이름난 지선智禪 선사에게 가서 병에 대한 설명을 들은 적이 있다. 간이 나빠진 것은 심리적인 요인으로서 희로애락을 밖으로 표현하지 않고 참음으로써 생긴다는 말씀을 들었다. 대부분 병은 이처럼 마음을 잘 못 써서 생긴 것이라고 하였다. 또 한 가지, 한의학에서는 습기濕氣나 난기暖氣나 냉기冷氣나 열기熱氣에 의한 것을 외상이라 하고, 다쳐서 생긴 병은 타박상이라고 분류하는 점이었다.

6. 병자를 위문하는 법

이시　문수사리　문유마힐언　　보살　응운하
爾時에 文殊師利가 問維摩詰言하사대 菩薩이 應云何

위유유질보살　유마힐　언　설신무상　불
慰喩有疾菩薩이니까 維摩詰이 言하사대 說身無常하되 不

설염리어신
說厭離於身하며

　그때에 문수사리가 유마힐에게 물었다.

　"보살은 어떻게 병든 보살을 위문합니까?"

　유마힐이 말하였다.

　"몸의 무상함을 말하되 몸을 싫어하여 버릴 것을 말하지 아
니합니다."

　당시 천하의 대大보살로 명성이 높았던 유마 거사에게 위문을 왔
으므로 특별히 병과 연관된 것을 빠짐없이 묻는 것도 지혜로운 일

이다. 병자를 위문하는 것은 한둘이 아니다. 첫째, 이 몸은 무상無常하다는 것을 우리는 누구나 잘 알아야 한다. 그렇다고 이 육신을 버리려는 방법을 생각하는 것은 매우 잘못된 생각이다. 부처님 당시에도 몸의 무상함을 알고 몸을 싫어하여 자살한 제자들이 있었다.

요즘 우리나라는 자살률이 세계 1위라는 통계가 있다. 필자도 2003년 병고를 심하게 앓을 때는 진정으로 죽고 싶었다. 그때는 고통을 이기지 못해서였다. 이 몸은 결국 무상하여 한 줌의 재로 돌아가고 말지만, 그렇다고 스스로 이 몸을 버리는 일은 천리天理에도 맞지 아니하며 불교의 계율에도 어긋나는 일이다.

설신유고　　　불설낙어열반　　　설신무아　　　이설
說身有苦하되 **不說樂於涅槃**하며 **說身無我**하되 **而說**

교도중생　　　설신공적　　　불설필경적멸
教導衆生하며 **說身空寂**하되 **不說畢竟寂滅**하며

"몸에는 고통이 있음을 말하되 열반을 즐기기를 말하지 아니합니다. 몸은 무아無我임을 말하되 중생을 가르쳐 인도함을 말해야 합니다. 몸이 공적함을 말하되 마침내 적멸함은 말하

지 아니합니다."

사람이 일생을 살면서 병이 없고 괴로움이 없고 고통이 없고 문제가 없을 수는 없다. 이 세상은 반은 고통, 반은 낙이라고 하였다. 또 참고 견디면서 사는 곳이라고 하였다. 고해苦海요 화택火宅이다. 어떤 경우의 사람이라도 평등하다. 그렇다고 그 고통을 피하여 편안함만 추구해서도 안 된다. 안락한 생활만을 찾을 것이 아니라 고통을 정면으로 돌파하면서 살아야 한다. 사람뿐 아니라 모든 존재가 궁극에 무아無我임은 틀림없지만, 사는 동안까지 자신도 가르치고 다른 이도 열심히 가르쳐서 늘 향상하고 발전하면서 살기를 노력하여야 한다. 우리의 몸이 공적한 데서 와서 끝내 공적한 곳으로 돌아가는 것은 한편으로 맞는 말이지만, 그것은 반쪽만을 알고 반쪽은 모르는 소리다. 공적한 가운데 묘하게도 이렇게 버젓이 있지 않은가. 병자를 위문할 때 치우치지 않고 중도적 관점에서 해야 하리라.

설 회 선 죄　　이 불 설 입 어 과 거　　이 기 지 질　　민 어
說悔先罪하되 而不說入於過去하며 以己之疾로 愍於

피질 당식숙세무수겁고 당념요익일체중생
彼疾하며 當識宿世無數劫苦하며 當念饒益一切衆生하며

억소수복 염어정명 물생우뇌 상기정진
憶所修福하야 念於淨命하며 勿生憂惱하고 常起精進하며

당작의왕 요치중병 보살 응여시위유유질보
當作醫王하야 療治衆病이니 菩薩이 應如是慰喩有疾菩

살 영기환희
薩하야 令其歡喜니다

"과거의 죄를 참회하기를 말하되 과거에 빠져 있기를 말하지는 않아야 합니다. 자기의 병으로써 다른 이의 병을 연민스럽게 여기며, 마땅히 숙세의 오랜 세월의 고통을 알아야 하며, 마땅히 일체중생을 요익하게 할 것을 생각하며, 닦은 복을 기억하여 청정한 생활을 생각하며, 근심 걱정을 하지 말고 항상 정진하며, 마땅히 훌륭한 의사가 되어 여러 가지 병을 치료하여야 합니다. 보살이 반드시 이처럼 병든 보살을 위문해서 그로 하여금 기쁘게 하여야 합니다."

병은 흔히 과거의 죄업 때문에 온 것이라고도 말한다. 하지만 사람의 삶은 현재가 중요하다. 지난 일에 너무 빠져 있어서는 바른 태도라고 할 수 없다. 누구나 지금은 건강하다고 하더라도 지난 언젠가 병고를 앓았던 때가 있었다. 그리고 앞으로도 앓을 때가 있을 것이다. 자신의 그러한 점을 생각하여 타인의 아픔을 위로하고 연민스럽게 여기고 보살피고 치료에 도움을 주어야 한다. 또는 자신을 대신해서 아프다는 생각으로 더욱 적극적으로 도와서 사람들을 유익하게 해야 하리라. 병이 있더라도 너무 근심 걱정하지 말고 남은 시간만이라도 열심히 정진하도록 위문을 해야 할 것이다. 나아가서 훌륭한 의사의 역할까지 할 수 있어서 병든 사람을 기쁘게 할 수 있다면 가장 훌륭한 위문이 될 것이다.

7. 병든 보살이 마음을 조복하는 법

문수사리언 거사 유질보살 운하조복기심
文殊師利言 居士여 有疾菩薩이 云何調伏其心니이까

유마힐 언유질보살 응작시념 금아차병 개
維摩詰이 言有疾菩薩이 應作是念하되 今我此病은 皆

종전세망상전도제번뇌생 무유실법 수수병자
從前世妄想顚倒諸煩惱生이라 無有實法이니 誰受病者

소이자하 사대합고 가명위신 사대무주
어뇨 所以者何오 四大合故로 假名爲身이나 四大無主하고

신역무아 우차병기 개유착아 시고 어아 불
身亦無我며 又此病起는 皆由着我니 是故로 於我에 不

응생 착
應生着이라할지니라

문수사리가 말하였다.

"거사여, 병을 앓는 보살은 그 마음을 어떻게 조복받습니까?"

유마힐이 말하였다.

"병을 앓는 보살은 응당 이러한 생각을 해야 합니다. '지금 나의 이 병은 다 전생의 망상과 전도와 온갖 번뇌로부터 생긴 것이라서 실다운 법이 없는데 누가 병을 받아들이는 사람인가? 왜냐하면 사대가 화합하여 거짓으로 이름하여 몸을 삼으나 사대는 주체가 없고 몸도 또한 나라 할 것이 없음이라. 또한 이 병이 생긴 것은 모두 나에게 집착함으로 말미암은 것이니 이러한 까닭에 나에게 응당 집착을 내지 말자.'라고 해야 합니다."

문수사리는 또 질문하였다. 병에 시달리는 사람이 남을 원망하거나 병을 탓하지 않고 그 마음을 어떻게 조복받을 수 있는가를 물었다. 누구나 몸에 무서운 병이 들어서 고통을 겪을 때 무엇보다 중요한 것은 병을 인식하는 마음가짐이다. 마음가짐을 잘못하면 큰 병이 아니라도 큰 우환이 되지만, 마음가짐을 잘하면 몸도 가벼워지고 병도 가벼워지고 나아가서 죽음까지도 가벼워진다.

불교에는 수행법으로 관법觀法·관행觀行·관조觀照가 있다. 하나의 명상법이다. 어떤 사물이나 사건이나 병이라고 하더라도 그것의 실상을 잘 꿰뚫어 관찰하는 방법이다. 병의 실상을 꿰뚫어 관찰하면 고통은 사라진다. 즉 "병은 어디에서 생겼는가? 망상 번뇌로부터 생겼다. 그러나 망상 번뇌는 실재實在하는 것이 아닌데 누가 병을 받아들이겠는가? 사대가 화합한 것이 이 육신肉身이다. 어느 것도 주인은 없다. 그러므로 이 육신도 나[我]라는 것이 없다. 병은 나라는 것이 존재한다고 집착하고 착각하기 때문에 있는 것이다. 그러므로 나라는 것에 대해서 집착하지 말라."라는 것이다. 병을 앓는 사람은 이렇게 이해하고 이렇게 명상하고 이렇게 사유하여야 한다.

기 지 병 본　　즉 제 아 상 급 중 생 상　　당 기 법 상
旣知病本인댄 卽除我想及衆生想하고 當起法想이니

응 작 시 념　　단 이 중 법　　합 성 차 신　　기 유 법 기
應作是念하되 但以衆法으로 合成此身이라 起唯法起요

멸 유 법 멸　　우 차 법 자　　각 불 상 지　　기 시　　불 언 아
滅唯法滅이며 又此法者는 各不相知하야 起時에 不言我

기　　　멸 시　　불 언 아 멸
起하고 滅時에 不言我滅이니라

"이미 병의 근본을 알았다면 나에 대한 생각과 중생에 대한 생각을 제거하고 반드시 법에 대한 생각을 내어 이러한 생각

을 해야 합니다. '다만 여러 가지 법으로 이 몸을 합성하였다. 생기면 법이 생기는 것이고 소멸하면 법이 소멸하는 것이다. 또한 이 법이란 것은 각각 서로 알지 못해서 생길 때에 내가 생긴다고 말하지 아니하고 소멸할 때에 내가 소멸한다고 말하지 않는다.'라고 하여야 합니다."

명상은 계속된다. "세상에는 내가 있다거나 중생이 있는 것이 아니고 오직 법이 있다. 이 몸이 생길 때는 법이 생긴 것이며 이 몸이 소멸할 때는 역시 법이 소멸한다는 사실이다. 내가 생긴 것은 아니며 내가 소멸하는 것도 아니다."라고 사유하고 명상하여야 한다.

彼有疾菩薩이 爲滅法想하야 當作是念하되 此法想者

亦是顚倒니 顚倒者는 卽是大患이라 我應離之리라 云

何爲離오 離我我所라 云何離我我所오 謂離二法이라

운하이이법　위불념내외제법　　행어평등　　운하
云何離二法고 謂不念內外諸法하고 行於平等이니 云何

평등　위아등열반등　　소이자하　아급열반　차
平等고 謂我等涅槃等이니 所以者何오 我及涅槃이 此

이개공　　이하위공　단이명자고　공　　여차이법
二皆空이라 以何爲空고 但以名字故로 空이니 如此二法

　무결정성
이 無決定性이니다

"저 병이 있는 보살이 법에 대한 생각을 소멸하기 위해서 마땅히 이런 생각을 하여야 합니다. '이 법에 대한 생각도 또한 전도顚倒다. 전도는 곧 큰 병이다. 나는 응당히 그것을 떠나리라. 어떻게 떠나는가. 나와 나의 것을 떠나는 것이다. 어떻게 나와 나의 것을 떠나는가. 이를테면 두 가지 법을 떠나는 것이다. 무엇이 두 가지 법을 떠나는 것인가. 이를테면 안팎의 모든 법을 생각하지 아니하고 평등을 행하는 것이다. 무엇이 평등을 행하는 것인가. 이를테면 나도 평등하고 열반도 평등한 것이니 무슨 까닭인가 하면 나와 열반이라는 두 가지는 다 텅 비었다. 왜 텅 비었는가. 다만 이름뿐이기 때문에 텅 비었다. 이처럼 두 가지 법이 결정적인 체성體性이 없다.'라고 생각합니다."

앞에서는 나와 중생이 모두 법이므로 법이 생기고 법이 소멸한다고 사유하였다. 나아가서 "법에 대한 생각도 모두 전도된 생각이다. 전도란 큰 근심이다. 이것은 떠나야 한다. 이렇게 떠나서 나와 열반까지도 평등하게 텅 비어 공한 것으로 보아야 한다. 왜냐하면 그 모두는 이름뿐이지 실재하는 것이 아니며 결정적인 체성이 없기 때문이다."라고 깊이 명상하라는 내용이다.

得是平等하여는 無有餘病하고 唯有空病이니 空病도 亦

空일새 是有疾菩薩이 以無所受로 而受諸受하며 未具佛

法하고 亦不滅受而取證也니다

"이러한 평등을 얻고는 다른 병이 없고 오직 텅 빈 병이 있을 뿐이니, 텅 빈 병도 또한 텅 비었으므로 이 병든 보살이 받아들이는 바가 없으므로 모든 받아들일 것을 받아들입니다. 아직 불법을 갖추지 못하고 또한 받아들임을 소멸하지 못했더라도 깨달음을 취합니다."

또 사유하고 명상하기를 이제 아무런 병이 없고 만약 있다면 오직 텅 빈 병이 있을 뿐이다. 그 텅 빈 병마저 없어지면 병든 보살이 아무것도 받아들일 것[느낄 것]이 없는 경지에서 모든 것을 받아들인다. 그렇게 되면 설사 불법佛法을 다 갖추지 못하여 받아들임을 소멸하지 못했더라도 그 가운데서 깨달음을 성취한다.

즉 오온과 육근으로 된 이 몸을 아직은 가지고 있으므로 병고로 인한 고통의 느낌은 있다 하더라도 다만 이치로서 몸도 없고 병도 없고 병고를 느끼는 그 느낌도 없다는 것을 깨달아 안다는 것이다. 만약 이러한 이치마저 모르면서 병고에 끌려 다니기만 한다면 그 병고는 더욱 견디기 어려우리라.

설신유고 염악취중생 기대비심 아기조
設身有苦라도 念惡趣衆生하야 起大悲心하며 我旣調

복 역당조복일체중생 단제기병 이부제법
伏인댄 亦當調伏一切衆生이니 但除其病하고 而不除法

위단병본이교도지
하며 爲斷病本而敎導之니라

"설사 몸에 고통이 있더라도 악취에 있는 중생을 생각해서 큰 자비의 마음을 일으킵니다. 나를 이미 조복하였다면 또한 일체중생을 조복해야 합니다. 다만 그 병을 제除하고 그 법은 제하지 아니합니다. 병의 근본을 끊기 위해서 가르치고 인도합니다."

진정한 보살은 자신에게 설사 어려움이 있고 고통이 있고 병고가 있더라도 자신의 문제를 생각하기 전에 고통받는 다른 중생을 염려하고 불쌍하게 여겨야 한다. 그것이 병든 자신을 조복調伏하는 적극적 방법이다. 나아가서 다른 중생까지 잘 가르쳐서 그들도 스스로 조복하게 하여야 한다. 그래야 병의 근본을 끊어 버리기 위한 가르침이 된다.

何謂病本고 謂有攀緣이니 從有攀緣하야 則爲病本이라

何所攀緣고 謂之三界라 云何斷攀緣고 以無所得이라 若

無所得이면 則無攀緣이니 何謂無所得고 謂離二見이라 何

위이견　　위내견외견　　시무소득
謂二見고 謂內見外見이니 是無所得이니다

"무엇이 병의 근본입니까. 이를테면 반연攀緣에 있습니다. 반연이 있음으로부터 병의 근본이 됩니다. 무엇이 반연하는 바인가 하면 삼계三界입니다. 어떻게 반연을 끊는가 하면 얻을 바 없음으로써 합니다. 만약 얻을 바가 없으면 곧 반연이 없습니다. 무엇이 얻을 바가 없음인가 하면 두 가지 소견所見을 떠나는 것입니다. 무엇이 두 가지 소견인가 하면 안의 소견과 밖의 소견입니다. 이것이 얻을 것이 없음입니다."

병의 근본이란 무엇인가. 우리가 무엇엔가 관계를 맺고 사는 데서 병은 근본이 있다. 그것은 삼계가 우리의 삶의 터전이며 그것에 관계를 맺고 살기 때문이다. 그 삶의 터전인 삼계는 분석해 보면 아무것도 얻을 것이 없는 헛것이다. 헛것인 줄 알면 곧 관계인 반연이 끝난다. 얻을 것이 없어서 반연이 없어지는 것은 안으로의 나 자신을 보거나 밖으로의 삼계를 보거나 그것을 모두가 떠난 견해이다. 이렇게 사유 관찰하여 병에 집착하는 자신의 마음을 조복받는다.

문수사리 시위유질보살 조복기심 위단노병
文殊師利여 是爲有疾菩薩이 調伏其心이니 爲斷老病

사고 시보살보리 약불여시 이소수치 위무혜
死苦가 是菩薩菩提라 若不如是면 已所修治가 爲無慧

리 비여승원 내가위용 여시겸제노병사자
利니 譬如勝怨이라사 乃可爲勇이라 如是兼除老病死者는

보살지위야
菩薩之謂也니다

"문수사리여, 이것이 병든 보살이 그 마음을 조복받는 것입니다. 늙고 병들고 죽는 고통을 끊음이 보살의 깨달음[보리菩提]입니다. 만약 이와 같지 아니하면 이미 닦고 다스린 바가 자신의 지혜도 남을 이롭게 함도 없음이 됩니다. 비유하자면 원수와 싸워 이긴 사람을 용감하다고 하는 것과 같습니다. 이처럼 나와 남의 늙고 병들고 죽는 것을 다 제거한 이를 보살이라고 합니다."

깨달음을 얻은 보살은 설사 몸에 큰 병이 있더라도 병에 이끌리는 그 마음을 철저하게 조복받아 늙음의 문제와 병의 문제와 죽음의 문제까지 다 끊어서 벗어나야 한다. 만약 그렇지 못하면 평생을 통해서 불교를 말하고 불교에 의지하여 살아온 지혜도 없고, 불교를 통하여 다른 사람을 이롭게 하는 일도 없으니 어찌 불교인이라 하며 어찌 보살이라 할 수 있겠는가.

彼有疾菩薩_이 應復作是念_{하되} 如我此病_은 非眞非

有_라 衆生病_도 亦非眞非有_니 作是觀時_에 於諸衆生_에

若起愛見大悲_{어든} 卽應捨離_니 所以者何_오 菩薩_이 斷

除客塵煩惱而起大悲_라 愛見悲者_는 則於生死_에 有疲

厭心_{이어니와} 若能離此_면 無有疲厭_{하야} 在在所生_에 不爲

愛見之所覆也_{니라}

"저 병든 보살이 다시 이런 생각을 하되, '나의 이러한 병은 진실함도 아니며 있는 것도 아닌 것과 같이 중생의 병도 또한 진실한 것도 아니며 있는 것도 아니다.' 라고 이러한 관찰을 할 때에 모든 중생에게 만약 애착으로 보는 큰 자비심이 일어나면 즉시에 응당 버려야 합니다. 왜냐하면 보살은 객진번뇌客塵煩惱를 끊어 제거하였으나 큰 자비심을 일으키는 것입니다. 애착으로 보는 자비는 곧 생사에 대해서 피로해하고 싫어하는 마음이 있기 때문입니다. 만약 능히 이것을 떠나면 피로해하고 싫어함이 없어서 태어나는 곳마다 애착으로 보아 덮어서 가리는 바가 되지 않을 것입니다."

자신의 병이나 중생의 병이나 모두가 실체가 있고 영원하고 참다운 것이 아니라고 보아야 한다. 참다운 것이라고 알면 애착이 일어난다. 애착에 의한 자비는 평범한 사람들의 사랑이다. 그러한 자비는 버려야 한다. 진실한 보살은 온갖 번뇌를 다 끊은 상태에서 큰 자비심이 일어나기 때문이다. 애착에 의한 평범한 자비는 생사를 싫어하는 마음이 있기 때문이다. 진정한 보살은 생사를 싫어하지 않는다. 또한 인간적인 애착을 떠났으므로 중생을 제도함에 구름을 벗어난 달과 같이 맑고 밝아 훤하게 비추리라.

8. 속박과 해탈

소 생 무 박　　능 위 중 생　　설 법 해 박　　여 불 소 설
所生無縛이면 能爲衆生하야 說法解縛이니 如佛所說

약 자 유 박　　능 해 피 박　무 유 시 처　　약 자 무 박
하야 若自有縛하고 能解彼縛이 無有是處어니와 若自無縛

능 해 피 박　　사 유 시 처　　시 고　보 살　불 응
하고 能解彼縛이면 斯有是處라하시니 是故로 菩薩은 不應

기 박
起縛이니다

"태어나는 곳에 속박이 없으면 능히 중생을 위해서 법을 설
하여 속박을 풀어 줍니다. 부처님이 설하신 것과 같이 '만약
자신에게 속박이 있으면서 능히 남의 속박을 풀어 주는 일은
있을 수 없다. 만약 자신에게 속박이 없고 능히 다른 이의 속
박을 풀어 준다면 이것은 옳은 일이다.'라고 하였습니다. 그러

므로 보살은 응당 속박을 만들지 말아야 합니다."

병든 보살이 스스로 마음을 조복받는 방법에 대한 이야기가 이
제는 속박과 해탈에까지 이르렀다. 불교의 진정한 목적은 모든 사
람을 해탈하게 하는 데 있다. 그러므로 불교에서는 해탈을 가장
중요하게 생각한다. "약자유박 능해피박 무유시처 약자무박 능해
피박 사유시처若自有縛 能解彼縛 無有是處 若自無縛 能解彼縛 斯有是處"라는
말은 『유마경』의 명구다. 자신이 물에 빠져 허우적대면서 다른 사
람을 건진다는 것은 있을 수 없다는 뜻이다. 언제나 중생의 속박
을 풀어 주는 것이 인생의 큰 목적인 보살은 스스로 속박을 만들지
말아야 한다.

하 위 박   하 위 해   탐 착 선 미   시 보 살 박   이 방

何謂縛이며 何謂解오 貪着禪味는 是菩薩縛이요 以方

편 생   시 보 살 해

便生은 是菩薩解니다

"무엇을 속박이라 하며 무엇을 해탈이라 합니까? 참선의 맛
을 탐착하면 그것은 보살의 속박이며, 방편으로 태어나는 것

은 보살의 해탈입니다."

여기서부터 보살의 갖가지 속박과 해탈을 열거하였다. 첫째, 보살이나 수행자나 불교인이 참선이나 기도나 경전을 공부하는 것 등의 맛에 빠져서 더는 발전이나 남을 배려하고 사람들의 삶에 관심이 없다면 그것은 불교인의 속박이다. 참선자의 속박이다. 속박에서 벗어나려고 불교를 공부하고 참선을 하면서 오히려 속박에 빠져든다면 그것은 길을 잃은 여행자다. 방편을 마음껏 활용하면서 세상과 더불어 사람들의 아픔을 보살피는 그러한 삶이라야 진정한 보살의 해탈이다. "탐착선미 시보살박貪着禪味 是菩薩縛"이라는 말도『유마경』의 명구다.

又無方便_인 慧_는 縛_{이요} 有方便_인 慧_는 解_며 無慧_인 方便_은 縛_{이요} 有慧_인 方便_은 解_{니라}

"또 방편이 없는 지혜는 속박이며 방편이 있는 지혜는 해탈입니다. 지혜가 없는 방편은 속박이며 지혜가 있는 방편은 해탈입니다."

사람들을 교화하는 방편을 마음껏 활용하되 그 바탕에는 지혜가 밑받침되어야 한다. 만약 그렇지 못하고 교화 방편은 있으나 지혜가 없으면 크게 어긋나는 수가 있다. 또 지혜는 있으나 교화 방편이 없는 지혜는 아무런 쓸모없는 지혜가 되고 만다. 반드시 지혜를 갖추고 교화 방편을 활발하게 펼치는 것이 바람직하다. 10여 년 경전을 보거나 참선을 하였다면 이미 지혜는 갖춘 것이 되므로 더는 눌러앉아 있지 말고 세상을 향해서 활발하게 교화 방편을 펼쳐야 한다. 그렇지 않으면 공부가 평생 쓸모없는 것이 되고 만다.

何謂無方便慧縛고 謂菩薩이 以愛見心으로 莊嚴佛
土하며 成就衆生호려하야 於空無相無作法中에 而自調伏
이 是名無方便慧縛이며

"무엇이 방편이 없는 지혜는 속박이 되는 것입니까? 이를테면 보살이 애착으로 보는 마음으로 불국토를 장엄하며 중생을 성취하고자 해서 공空과 무상無相과 무작無作의 법 가운데서 스스로 조복되는 것은 이것이 이름이 방편은 없고 지혜만 있는 속박입니다."

세상에는 좋은 일을 하려는 사람들도 많다. 종교를 막론하고 선행을 하여 세상을 아름답게 하고 사람들에게 이익을 주고자 하는 것이다. 그러나 대개는 애착하는 마음이나 상相을 내려는 마음을 버리지 못한다. 불교에 깊은 이해가 있는 사람들은 공과 무상과 무작의 도리를 알아서 자신의 애착심을 조복하려고 한다. 그리고 상을 내지 않으려고 한다. 그것은 지혜에 속한다. 그러나 투철한 교화 방편은 없고 지혜만 있으므로 그것은 아직 속박에 해당한다.

하 위 유 방 편 혜 해　위 불 이 애 견 심　　장 엄 불 토
何謂有方便慧解오 **謂不以愛見心**으로 **莊嚴佛土**하며

성 취 중 생　　어 공 무 상 무 작 법 중　이 자 조 복　　이
成就衆生호려하야 **於空無相無作法中**에 **以自調伏**하되 **而**

불피염 시명유방편혜해
不疲厭이 是名有方便慧解라

"무엇이 방편과 지혜 있는 해탈입니까? 이를테면 애착으로 보지 않는 마음으로 불국토를 장엄하며 중생을 성취하고자 해서 공空과 무상無相과 무작無作의 법 가운데서 스스로 조복하되 싫어하지 않는 것은 이것이 이름이 방편도 있고 지혜도 있는 해탈입니다."

세상을 아름답게 하고 중생을 교화하는 데 가장 바람직한 자세로는 사람들을 교화하려는 큰 원력과 방편이 있어야 하고, 그와 같은 원력을 받쳐 주는 지혜가 있어야 한다. 이 두 가지가 원만하게 갖춰졌을 때 그것은 살아 있는 해탈이다. 흔히 해탈이라고 하면 자신의 생사生死 문제만 해결하면 되는 줄 잘못 알고 있다. 해탈이란 세상과 중생을 위해서 활발하게 교화하는 적극적인 활동이 있어야 한다.

하위무혜방편박 위보살 주탐욕진에사견등제
何謂無慧方便縛고 謂菩薩이 住貪欲瞋恚邪見等諸

^{번뇌} ^{이 식 중 덕 본} ^{시 명 무 혜 방 편 박}
煩惱_{하야} 而植衆德本_은 是名無慧方便縛_{이며}

"무엇이 지혜가 없는 방편은 속박이 됩니까? 이를테면 보살
이 탐욕과 분노와 삿된 견해 등 온갖 번뇌에 머물러서 여러 가
지 덕의 근본을 심는 것은 이것이 이름이 지혜는 없으나 방편
은 있는 속박입니다."

지혜는 없고 교화 방편만 있으면 그것은 속박이다. 많은 사람이
공덕을 닦으려 하고 복을 지으려 한다. 선행善行도 많이 한다. 그
자체는 참으로 훌륭한 일이지만 완벽한 공덕과 완전한 선행이 되
려면 탐욕이나 분노나 삿된 소견과 같은 번뇌까지 사라진 상태에
서 해야 한다. 그렇지 못하면 공덕을 닦고 선행을 한다고 하더라
도 그것은 아직은 속박이다.

^{하 위 유 혜 방 편 해} ^{위 이 제 탐 욕 진 에 사 견 등 제 번 뇌}
何謂有慧方便解_오 謂離諸貪欲瞋恚邪見等諸煩惱

^{이 식 중 덕 본} ^{회 향 아 뇩 다 라 삼 먁 삼 보 리} ^{시 명}
_{하야} 而植衆德本_{하야} 廻向阿耨多羅三藐三菩提_는 是名

유 혜 방 편 해　　　문 수 사 리　　피 유 질 보 살　　응 여 시 관
有慧方便解니라 **文殊師利**여 **彼有疾菩薩**이 **應如是觀**

제 법
諸法이니다

"무엇이 지혜도 있고 방편도 있는 해탈이 됩니까? 이를테면 여러 가지 탐욕과 분노와 삿된 견해 등 온갖 번뇌를 떠나 여러 가지 덕의 근본을 심어서 최상의 깨달음으로 회향하는 것은 이것이 이름이 지혜도 있고 방편도 있는 해탈입니다. 문수사리여, 저 병든 보살은 응당 이처럼 모든 법을 관찰합니다."

　탐진치 삼독三毒과 온갖 번뇌를 다 벗어나서 지혜를 갖추고 난 뒤 중생을 교화하고 공덕을 닦으며 온 세상을 청정하게 장엄하려는 열렬한 원력으로 온갖 덕의 근본을 심어서 최상의 깨달음으로 회향한다면 이것이 보살의 가장 이상적인 삶의 모습이다. 중생도 해탈하게 하고 세상도 해탈하게 하는 일이기 때문이다. 설사 몸에 병을 앓고 있다 하더라도 이처럼 살아간다면 이 얼마나 훌륭한 인생일까?

우부관신　무상고공비아　시명위혜　수신유질
又復觀身의 無常苦空非我가 是名爲慧요 雖身有疾

상재생사　　요익일체　　이불염피　시명방편
이나 常在生死하야 饒益一切하되 而不厭疲가 是名方便이며

"또 몸의 무상無常과 고苦와 공空과 무아無我를 관찰하는 것이
이것이 이름이 지혜입니다. 비록 몸에 병이 있으나 항상 생사
가운데 있으면서 일체중생을 요익하게 하되 싫어하지 않는 것
이 이것이 이름이 방편입니다."

지혜와 방편을 더욱 명백하게 밝히는 부분이다. 대승불교에서의
지혜는 좀 더 광범위하고 높지만, 무엇보다 일체 존재의 무상無常
한 이치와 인생은 고통이라는 면과 궁극적으로 텅 비었다는 견해
와 주체적 나[我]가 없다는 점을 제대로 깨달아 자신의 삶이 되어
야 비로소 지혜가 있다고 할 수 있을 것이다. 또 언제나 건강하고
경제적 여유가 있고 시간이 많은 뒤에 비로소 남을 위해 일한다면
그것은 진정한 교화 방편을 쓴다고 할 수 없다. 자신은 몸에 병이
있고 열악한 환경과 어려움 속에 있으면서 일체중생을 물심양면으
로 보살피고 이익하게 하되 한 번도 싫어하거나 피로해하지 않아
야 진정한 교화 방편을 쓰는 사람이라고 할 수 있다.

우부관신　　신불리병　　병불리신　　시병시신
又復觀身하되 身不離病하고 病不離身이라 是病是身이

비신비고　　시명위혜　　설신유질　　이불영멸　시
非新非故가 是名爲慧요 設身有疾이나 而不永滅이 是

명 방 편
名方便이라

"또 몸을 관찰하되 몸은 병을 떠나지 않고 병은 몸을 떠나지 않습니다. 이 병과 이 몸이 새로운 것도 아니고 옛것도 아님을 관찰하는 이것이 이름이 지혜입니다. 설사 몸에 병이 있더라도 영원히 멸하지 않는 이것이 이름이 방편입니다."

지혜란 또한 이 병든 몸을 관찰하되 몸은 병을 떠나지 않고 병은 몸을 떠나지 않아 늘 함께하는 것이라고 알아야 참으로 훌륭한 지혜다. 그리고 설사 몸에 병이 있더라도 병을 다 없애거나 스스로 편안함을 누리기 위해서 공적한 경지에 들어간다면 그것은 중생을 교화하는 보살의 방편이 아니다. 고통이 있고 병이 있고 삶에 문제가 있어야 비로소 다른 사람의 그와 같은 것을 잘 이해하고 배려하며 보살필 수 있는 마음도 생기는 것이다. 이처럼 지혜와 방편을 겸하는 것은 곧 문무文武를 겸하는 일이며 이사理事를 겸하는 일이다.

문수사리   유질보살   응여시조복기심   부주
文殊師利여 **有疾菩薩**이 **應如是調伏其心**하되 **不住**

기중   역부부주부조복중   소이자하   약주부조
其中하며 **亦復不住不調伏中**이니 **所以者何**오 **若住不調**

복심   시우인법   약주조복심   시성문법
伏心이면 **是愚人法**이요 **若住調伏心**이면 **是聲聞法**이니라

"문수사리여, 병든 보살이 응당 이처럼 마음을 조복하되 그
가운데 머물지 아니하며 또한 다시 조복하지 않는 가운데도 머
물지 아니합니다. 왜냐하면 만약 조복하지 않는 마음에 머물
면 이것은 어리석은 사람의 법이며, 만약 조복하는 마음에 머
물면 이것은 성문의 법입니다."

위에서 설명한 것과 같이 병든 보살이 마음을 조복하더라도 조
복한다는 것에 머물면 안 된다. 물론 조복하지 않는 것에 머물러서
도 안 된다. 『금강경』의 중요한 내용 또한 어디에도 머물지 말라는
것과 상相을 내지 말라는 것이다. 제대로 알고 보면 머물 곳도 없
고 상도 없기 때문이다.

사찰에서는 마당을 쓸 때 뒷걸음질하면서 쓴다. 앞으로 쓸고 가
면 발자국이 남는다. 그러나 뒷걸음질을 하면서 쓸면 발자국마저

다 쓸어 버릴 수 있다. 이 또한 떠난 것마저 떠나라는『금강경』의 가르침을 상징적으로 보여 주는 일이다. 보살이 마음을 조복하되 조복한 것에 머물지 말라는 가르침을 실천하는 일이다.

9. 보살행

<ruby>是<rt>시</rt></ruby> <ruby>故<rt>고</rt></ruby>로 <ruby>菩薩<rt>보살</rt></ruby>이 <ruby>不當住於調伏<rt>부당주어조복</rt></ruby>·<ruby>不調伏心<rt>부조복심</rt></ruby>이니 <ruby>離此二<rt>이차이</rt></ruby>

<ruby>法<rt>법</rt></ruby>이 <ruby>是菩薩行<rt>시보살행</rt></ruby>이니라

"그러므로 보살은 마땅히 조복하거나 조복하지 않는 마음에 머물지 않습니다. 이러한 두 가지 법을 떠나는 것이 보살행입니다."

보살이 병든 몸으로 마음을 조복하는 방법과 그 바른길을 말하면서 지혜와 중생을 교화하는 방편을 아울러 밝혔다. 이어서 보살행으로 이어지는 내용이다. 대승불교에서는 보살행을 가장 중요한 신행 활동과 수행으로 삼는다. 어떤 공덕을 닦고 어떤 공부를 하고 어떤 수행을 하더라도 그것이 보살행으로 회향廻向되지 않으면 아무런 소용이 없는 것으로 간주한다. 그러므로 보살행은 참으로 중요한 불교의 덕목이다. 보살행을 여러 가지로 열거하는데 맨 먼저 마음을 조복하든지 조복하지 않든지 그것에 머물지 말라고 하였다. 그것을 떠나야 보살행이라고 하였다.

재 어 생 사　　불 위 오 행　　주 어 열 반　　불 영 멸 도
在於生死하되 **不爲汚行**하고 **住於涅槃**하되 **不永滅度**

시 보 살 행
가 **是菩薩行**이며

"생사에 있으나 더러운 행동을 하지 아니하고, 열반에 머무나 영원히 멸도하지 않는 것이 보살행입니다."

또 보살행은 다른 모든 사람처럼 생사生死 속에 함께 살더라도 그 생사에 이끌려 온갖 추하고 더러운 행동을 하지 않는다. 달리 말하면 살기 위해서 또는 죽지 않으려고 갖가지 방법과 수단을 법法답지 못하고 이치에도 맞지 않게 생각하면서 살지 않는다. 흡족하게 받아들이면서 순리대로 살고 죽는다. 또 보살행은 열반에 머물지만 고요히 죽은 듯이 있는 게 아니라 활발하게 중생 교화를 펼친다. 즉 보살에게서 열반은 더욱 열심히 사는 모습이다. 이것이 보살행이다.

비범부행　　비성현행　시보살행　비구행비정
非凡夫行이요 非聖賢行이 是菩薩行이며 非垢行非淨

행　시보살행
行이 是菩薩行이며

"범부의 행도 아니며 성현의 행도 아님이 보살행입니다. 때
가 묻은 행도 아니며 청정한 행도 아님이 보살행입니다."

　또 보살행이란 어리석고 무지몽매한 보통 사람의 행行도 아니며
그렇다고 성현聖賢의 행에 집착하여 사는 것도 아니다. 보통 사람
의 행이 필요하면 보통 사람의 행을 하고 성현의 행이 필요하면 성
현의 행을 한다. 때 묻고 탐욕이 넘치는 행으로 사람을 제도할 수
있으면, 때 묻고 탐욕스러운 행위도 하는 것이 곧 보살행이다. 보
살행은 언제나 청정하기만 한 것은 아니다. 어디에도 치우치지 않
고 오로지 사람을 교화하는 데 목적이 있을 뿐이다.

수 과 마 행　　이 현 항 복 중 마　　시 보 살 행　　구 일 체
雖過魔行이나 **而現降伏衆魔**가 **是菩薩行**이며 **求一切**

지　　　무 비 시 구　　시 보 살 행
智하되 **無非時求**가 **是菩薩行**이며

"비록 마군의 행을 지나갔으나 온갖 마군을 항복받음을 나타내 보이는 것이 보살행입니다. 일체 지혜를 구하되 때마다 구하지 아니함이 없는 것이 보살행입니다."

보살이 보살행을 제대로 하는 일은 무수히 많다. 보살로서 마군 魔軍의 문제는 이미 떠난 일이지만, 사람들에게 본보기가 되도록 하기 위해서는 마군을 항복받는 것을 보여 줘야 한다. 또한 일체를 아는 지혜를 이미 구하였지만, 항상 구하는 모습을 잃지 말아야 한다. 보살을 표현할 때 상구보리上求菩提하고 하화중생下化衆生한 다고 하지 않던가. 끊임없이 자신의 발전과 향상을 위해 노력하는 한편 꾸준하게 중생 교화를 위한 노력을 겸비하는 것이 곧 보살행 이다.

수 관 제 법 불 생　　이 불 입 정 위　　시 보 살 행

雖觀諸法不生이나 而不入正位가 是菩薩行이며

"비록 모든 법이 생기지 아니함을 관하나 정위正位에 들어가지 않는 것이 보살행입니다."

모든 법이 생기지 아니함을 관찰한다는 것은 불생불멸不生不滅의 이치를 깨달아 삶과 죽음을 초월하였다는 뜻이다. 삶과 죽음을 초월하여 정위正位라는 영원히 변하지 않는 깨달음의 지위에 들어가지만 그곳에 안주安住하지는 않는다. 깨달음에만 안주하는 것은 불교를 성불이 지상목표인 줄 잘못 알고 있는 경우다. 불교의 최종목표는 중생을 제도하는 일이다. 성불成佛은 중생제도를 위한 중간 단계이며 임시방편이다. 그러므로 보살이 진정한 보살행을 하려면 깨달음의 경지에 들어가 안주해서는 안 된다.

수 관 십 이 연 기　　이 입 제 사 견　　시 보 살 행

雖觀十二緣起나 而入諸邪見이 是菩薩行이며

"비록 12연기를 관하나 모든 사견에도 들어가는 것이 보살행입니다."

불교의 관점에서 모든 존재의 실상을 이해하는 길은 연기緣起의 법칙이다. 특히 사람을 중심으로 그 존재의 실상을 분석하고 해석하는 교리敎理로서는 12연기를 든다. 12연기로 사람의 일생을 관찰하여 이해하는 것이 바른 견해, 즉 정견正見이다. 그 외에 다른 많은 견해가 있어서 존재의 법칙을 연기로 보지 않고 창조설創造說로 보기도 하고 자연으로 보기도 한다. 불교는 그와 같은 견해見解를 삿된 견해라고 한다. 그러나 보살은 사람들이 주장하는 온갖 종류의 견해를 다 이해하고 다 수용한다. 그들을 교화하기 위해서는 그들의 사상을 수용하고 이해해야 하기 때문이다.

수 섭 일 체 중 생   이 불 애 착   시 보 살 행
雖攝一切衆生이나 而不愛着이 是菩薩行이며

"비록 일체중생을 포섭하나 애착하지 아니하는 것이 보살행입니다."

보살은 일체중생을 다 사랑하고 아끼고 교화하고 다 건져야 한다. 그 어떤 중생이든 갓 낳은 적자嫡子와 같이 생각해야 한다. 그러나 애착하지는 않는다. 애착과 자비는 근본이 다르다.

수 락 원 리　이 불 의 신 심 진　시 보 살 행
雖樂遠離나 **而不依身心盡**이 **是菩薩行**이며

"비록 멀리 떠나는 것을 즐기나 몸과 마음이 다하는 것을 의
지하지 않는 것이 보살행입니다."

보살은 탐진치 삼독과 온갖 번뇌를 멀리 떠나기를 즐기지만, 그
렇다고 번뇌의 근본인 몸과 마음이 다한 소극적인 상태를 의지하
려고 하지는 않는다. 이 몸, 이 마음을 충분히 활용하면서 삼독과
번뇌에서 멀리 떠나 있는 것이 보살행이다.

수 행 삼 계　이 불 괴 법 성　시 보 살 행
雖行三界나 **而不壞法性**이 **是菩薩行**이며

"비록 삼계에 다니지만 법성을 파괴하지 않는 것이 보살행
입니다."

삼계는 현상이고 법성法性은 본체本體다. 평범한 사람들은 눈에
보이는 현상들만 쫓아다니지만, 보살은 삼계에 다니면서도 본체
인 법성을 떠나지 않고 법성의 이치를 따른다. 그것이 보살행이다.

수 행 어 공　　이 식 중 덕 본　　시 보 살 행
雖行於空이나 **而植衆德本**이 **是菩薩行**이며

"비록 공空을 행하나 온갖 덕德의 근본을 심는 것이 보살행입니다."

불교적 견해의 근본은 모든 존재의 공성空性을 체득하는 것이다. 나 자신과 세상 모두가 근본적으로 텅 비어 공空하다는 사실을 깊이 체득하고 그 바탕 위에서 일체의 선행과 온갖 덕행을 닦아야 그 선행과 덕행을 바르게 닦게 된다. 중생이 본래로 공한 줄 잘 알면서 그 공한 중생을 제도하는 것이 진정한 보살이다. 나아가서 중생이 본래로 부처라는 사실을 여실히 알면서 그 부처인 중생을 제도하는 것이 진정한 보살이다.

수 행 무 상　　이 도 중 생　　시 보 살 행　　수 행 무 작
雖行無相이나 **而度衆生**이 **是菩薩行**이며 **雖行無作**이나

이 현 수 생　　시 보 살 행　　수 행 무 기　　이 기 일 체 선 행
而現受生이 **是菩薩行**이며 **雖行無起**나 **而起一切善行**이

시 보 살 행
是菩薩行이며

"비록 상이 없음을 행하나 중생을 제도하는 것이 보살행입니다. 비록 지음이 없음을 행하나 태어남을 나타내 보이는 것이 보살행입니다. 비록 일어남이 없음을 행하나 일체 선행을 일으키는 것이 보살행입니다."

『금강경』은 무상無相으로 그 근본을 삼는다. 존재의 차별한 상相이 없음을 잘 알고 삶을 실천하지만, 그 무상인 중생을 제도하는 것이 보살이다. 무상이라고 하여 두 손 두 발 다 묶어 놓고 세월이 가기만을 기다리는 것은 불교도 아니고 소승도 아니고 순전한 외도 마군이다. 또한 본래로 모든 존재는 지음이 없다는 사실을 잘 알지만 지음이 없이 세상에 태어나서 온갖 교화활동을 펼쳐 보이는 것이 또한 보살이다. 비록 일체 존재가 일어나고 소멸함이 없음을 행하나 일체 선행과 덕행을 일으키는 것이 진정한 보살이다. 이처럼 보살행은 모두가 중도中道에 입각한 행行이 된다.

수행 육 바 라 밀   이 변 지 중 생   심 심 수 법   시 보
雖行六波羅蜜이나 **而遍知衆生**의 **心心數法**이 **是菩**

살 행   수 행 육 통   이 부 진 루   시 보 살 행
薩行이며 **雖行六通**이나 **而不盡漏**가 **是菩薩行**이며

"비록 육바라밀을 행하나 중생의 마음과 심수법心數法을 두루 아는 것이 보살행입니다. 비록 육신통六神通을 행하나 번뇌가 다하지 않음이 보살행입니다."

심心과 심수법心數法은 신역新譯에서는 심과 심소법心所法이라고도 한다. 즉 마음의 본체와 마음의 여러 가지 작용을 함께 일컫는 말이다. 보살이 육바라밀을 통해서 자신도 이롭고 남도 이롭게 하는 데는 무엇보다 중생의 갖가지 마음 작용을 잘 아는 일이 필요하다. 중생의 마음 작용을 모르고 교화하는 것은 잘못되는 경우가 많기 때문이다.

육신통을 얻었다면 이미 번뇌가 다하여 없어진 상태다. 그러나 번뇌가 있는 중생을 교화하기 위해서는 스스로 그 번뇌를 남겨 둔 채 중생 제도를 한다. 생사를 초월하였으나 생사 속에서 중생과 함께하는 것이 보살이다.

수 행 사 무 량 심   이 불 탐 착 생 어 범 세   시 보 살 행
雖行四無量心이나 **而不貪着生於梵世**가 **是菩薩行**이며

"비록 사무량심을 행하나 범천梵天 세상에 태어남을 탐착하지 않음이 보살행입니다."

사무량심인 자비희사慈悲喜捨를 하면 그 공덕으로 범천梵天 세상에 태어나지만, 보살은 그와 같은 곳에 태어나는 것을 탐하여 자비희사를 하는 것은 아니다.

수 행 선 정 해 탈 삼 매   이 불 수 선 생   시 보 살 행
雖行禪定解脫三昧나 **而不隨禪生**이 **是菩薩行**이며

"비록 선정과 해탈과 삼매를 행하나 선정을 따라 태어나지 않음이 보살행입니다."

선정禪定과 해탈解脫과 삼매三昧는 불교 수행의 결과다. 그러나 보살은 그와 같은 결과에 안주하지 않는다. 선정을 따라 태어나지 않는다는 것은 선정이나 해탈이나 삼매에 도취하여 머물러 있지 않고 더욱 열심히 중생 교화에 몸과 마음을 다해야 한다는 뜻이다.

수 행 사 념 처   불 필 경 영 리 신 수 심 법   시 보 살 행
雖行四念處나 **不畢竟永離身受心法**이 **是菩薩行**이며

"비록 사념처를 행하나 필경에 신수심법身受心法을 영원히 떠나지 않는 것이 보살행입니다."

사념처四念處란 몸은 부정한 것이라고 관찰[觀身不淨]하는 것과, 받아들이는 느낌은 괴로운 것이라고 관찰[觀受是苦]하는 것과, 마음은 머물러 있지 않고 변화한다고 관찰[觀心無常]하는 것과, 모든 사건과 물건인 법은 고정된 실체가 없다고 관찰[觀法無我]하는 것이다. 모두가 이 신수심법身受心法을 벗어나 편안함을 누리는 것을 최후의 목적으로 여긴다.

20년쯤 전부터 한국에 위빠사나라는 남방불교의 수행법이 들어오게 되었는데 그 내용이 곧 사념처 관법觀法이다. 그러나 대승보살불교는 이와 다르다. 사념처를 다 체득하였으나 이 몸을 떠나지 않고 느낌을 떠나지 않고 마음을 떠나지 않고 법을 떠나지 않는다. 그 속에서 삶을 영위한다.

수 행 사 정 근　　　이 불 사 신 심 정 진　　시 보 살 행
雖行四正勤이나 **而不捨身心精進**이 **是菩薩行**이며

"비록 사정근을 행하나 몸과 마음을 버리지 않고 정진하는
것이 보살행입니다."

사정근四正勤은 사정단四正斷이라고도 하는데 첫째는 단단斷斷이
다. 이미 생긴 악惡을 없애려고 힘쓰는 것이다. 둘째는 율의단律儀
斷이다. 악이 생기지 않도록 힘쓰는 것이다. 셋째는 수호단隨護斷이
다. 선善이 생기도록 힘쓰는 것이다. 넷째는 수단修斷이다. 이미 생
긴 선을 늘리도록 힘쓰는 것이다. 모두가 몸과 마음이 하는 일을
삼가는 수행이다. 그러나 보살은 더욱 적극적인 길을 간다.

수 행 사 여 의 족　　　이 득 자 재 신 통　　시 보 살 행
雖行四如意足이나 **而得自在神通**이 **是菩薩行**이며

"비록 사여의족을 행하나 자재한 신통을 얻음이 보살행입니
다."

사신족四神足 또는 사여의족四如意足이라고 한다. 수행을 통해 얻

는 자재한 경지를 의미한다. 여의如意는 뜻대로 자유자재한 신통을 말하며, 족足은 신통이 일어나는 각족脚足으로서 근본 원인이라는 의미다. 또한 '자유자재한 힘을 얻기 위한 네 가지 기반'이라는 뜻이다. 적극적인 의욕으로 선정을 닦아 자유자재한 힘을 성취하는 욕여의족欲如意足, 정진으로 선정을 닦아 자유자재한 힘을 성취하는 정진여의족精進如意足, 마음을 가다듬고 선정을 닦아 자유자재한 힘을 성취하는 심여의족心如意足, 사유하고 관찰하는 선정을 닦아 자유자재한 힘을 성취하는 사유여의족思惟如意足을 말한다. 이와 같은 능력을 얻고도 다시 자유자재한 신통을 얻는 일을 계속하는 것이 보살행이다.

수행오근　이분별중생　제근이둔　시보살행
雖行五根이나 **而分別衆生**의 **諸根利鈍**이 **是菩薩行**이며

"비록 오근을 행하나 중생의 모든 근根의 영리하고 둔함을 분별하는 것이 보살행입니다."

오근五根은 번뇌를 누르고 깨달음의 길로 이끄는 다섯 가지 근원이며 근본 기능이다. 어느 때 부처님께서 사위국 기수급고독원에서

여러 비구들에게 말씀하셨다. "오근五根이 있다. 어떤 것이 오근인가? 신근信根·정진근精進根·염근念根·정근定根·혜근慧根이다."라고 하셨다.

수 행 오 력　　　이 낙 구 불 십 력　　　시 보 살 행
雖行五力이나 **而樂求佛十力**이 **是菩薩行**이며

"비록 오력을 행하나 부처님의 열 가지 힘을 즐겨 구하는 것이 보살행입니다."

오력五力은 오근五根에 의해서 성취되어 깨달음에 나아가는 다섯 가지 능력이며 힘이다. 보살은 이와 같은 힘을 얻은 것에 멈추지 않고 부처님이 얻은 열 가지 힘[十力]까지 즐겨 구한다. 끊임없이 정진하고 또 정진하는 삶이 보살의 삶이기 때문이다.

십력十力이란 부처님이 갖추신 지혜의 힘이다.

1. 처비처지력處非處智力 : 도리와 이치가 옳고 그른 것을 다 아는 지혜의 힘.

2. 업이숙지력業異熟智力 : 일체중생의 삼세 업보를 다 아는 지혜의 힘.

3. 정려해탈등지등지지력靜慮解脫等持等至智力 : 여러 가지 선정과 해탈과 삼매를 다 아는 지혜의 힘.

4. 근상하지력根上下智力 : 중생의 근기가 높고 낮음을 다 아는 지혜의 힘.

5. 종종승해지력種種勝解智力 : 중생의 여러 가지 지해知解를 아는 지혜의 힘.

6. 종종계지력種種界智力 : 중생의 여러 가지 경계를 아는 지혜의 힘.

7. 변취행지력遍趣行智力 : 여러 가지 행업行業으로 어디에 가서 나게 되는 것을 아는 지혜의 힘.

8. 숙주수념지력宿住隨念智力 : 숙명통으로 중생의 가지가지 숙명을 아는 지혜의 힘.

9. 사생지력死生智力 : 천안통으로 중생이 죽어서 태어날 때와 선한 곳과 악한 곳을 걸림 없이 아는 지혜의 힘.

10. 누진지력漏盡智力 : 온갖 번뇌와 습기를 영원히 끊어 없애는 지혜의 힘 등이다.

수 행 칠 각 분   이 분 별 불 지 지 혜   시 보 살 행
雖行七覺分이나 **而分別佛之智慧**가 **是菩薩行**이며

"비록 칠각분을 행하나 부처님의 지혜를 분별하는 것이 보살행입니다."

보살은 비록 칠각분을 행한다 하더라도 궁극적으로 부처님의 지혜까지도 분별하는 능력을 얻기 위해서 정진한다.

칠각분七覺分은 칠각지七覺支 또는 칠각의七覺意라고도 한다. 깨달음을 잘 돕는 일곱 가지 부분이란 뜻이다.

1. 택법각지擇法覺支 : 지혜의 힘으로 모든 법의 선악과 정사正邪를 잘 가려내어 선善과 정正은 취하고 악惡과 사邪는 버리는 것을 말한다.

2. 정진각지精進覺支 : 쓸데없는 것을 버리고 수행의 바른길을 따라 오직 한마음으로 정진하여 나아가는 것을 말한다.

3. 희각지喜覺支 : 오직 한마음으로 끊임없이 정진한 결과로 참된 도道의 기쁨을 얻는 것을 말한다.

4. 제각지除覺支 : 참된 도의 기쁨을 얻는 데 그치지 않고 모든 그릇된 소견이나 번뇌를 끊고[除] 능히 참되고 거짓됨을 알아서 선법善法을 계속 길러 나가는 것을 말한다.

5. 사각지捨覺支 : 마음이 모든 경계에 평등하여 즐겁고 기쁜 모
든 것이 줄어듦이 없고 지내는 일을 추억하는 일이 없는 것을
말한다.

6. 정각지定覺支 : 고요히 정靜에 들어서 번뇌 망상을 일으키지 않
는 것을 말한다.

7. 염각지念覺支 : 정靜과 혜慧가 평등하여 일심一心이 늘 명료한
경지를 말한다.

수 행 팔 정 도　　이 낙 행 무 량 불 도　　시 보 살 행
雖行八正道나 而樂行無量佛道가 是菩薩行이며

"비록 팔정도를 행하나 한량없는 불도佛道를 즐겨 행하는 것
이 보살행입니다."

보살이 비록 팔정도八正道를 잘 행한다 하더라도 부처님의 도道에
는 한량이 없으므로 부처님의 도를 끊임없이 행하기 위하여 노력하
고 또 노력한다. 보살행을 실천하는 데는 중단이란 없으며, 쉼이란
없으며, 게으름이란 없으며, 싫증이란 없다. 영원히 앞으로 나아가
고 향상하는 길만 있을 뿐이다.

복습하고 재점검하기 위해서 다시 열거한다. 팔정도란 팔정도지八正道支 또는 팔정도분八正道分이라고도 한다. 불교를 실천 수행하는 중요한 덕목을 여덟 가지로 나눈 것인데 팔정도는 이 수행 방법이 중정中正 중도中道의 정도로서 완전한 수행 방법이므로 성인聖人의 도道로 나타내어 성도聖道라고 한다. 여기서 바르다[正]고 한 것은 이 팔정도를 통해서 생로병사의 존재론적인 고苦에서 벗어나 이상적인 행복의 상태[涅槃]를 체득하는 방편이다. 고집멸도苦集滅道 사성제四聖諦의 도제道諦에 속한다.

1. 정견正見 : 바로 봄을 뜻하며 곧 올바른 견해, 즉 자기와 세계의 실상을 보는 것을 말한다. 이 세상은 인因과 연緣의 관계에 의해 진행된다는 연기법緣起法의 이치를 분명히 아는 것이며 이 사바세계는 고통스러운 곳[苦諦]이며, 이 고통의 원인[集諦]을 알아 생로병사의 고통에서 벗어나는 수행[道諦]을 통해 절대행복의 경지[滅諦]를 깨달아 얻을 수 있다는 사성제四聖諦의 부처님 가르침을 잘 배워서 실천하려는 확고한 인식 체계를 가지고 있어야 한다. 따라서 정견을 여실지견如實知見이라고도 한다. 바로 보는 것이 바른 삶의 시작이다.

2. 정사유正思惟 : 올바른 생각을 뜻하며 자신의 처지를 바르게 생각하는 것을 말하고 현실을 있는 그대로 보고 이치에 맞게

생각하는 것이다. 올바른 생각은 삼업 가운데 의업意業으로
서 탐내고 성내고 어리석은 마음과 나만 편하고 잘살면 그만
이라는 이기적인 생각을 버리고 어렵고 불행에 처한 사람들과
더불어 동고동락하며 살아가려는 보살의 사유체계이다.

3. 정어正語 : 올바른 말을 뜻하며 삼업三業 가운데 구업口業으로
   서 허망한 말[妄語] 대신 진실한 말을, 입에 발린 말[綺語] 대신
   정직한 말을, 이간질하는 말[兩舌] 대신 화합시키는 말을, 험악
   한 말[惡口] 대신 부드러운 말을 하는 것을 말한다. 올바른 생
   각에 따라 하는 말이며 항상 바른 생각과 바른 말을 하여 구
   업을 짓지 말고 상대방을 존중하는 부드러운 말을 해야 한
   다. 이는 진실되고 올바른 언어생활을 말한다. 즉 거짓말, 꾸
   며 대는 말, 서로 이간하는 말, 남을 성나게 하는 말 등을 하
   지 않는 것으로 바른 견해의 적극적 실천이다.

4. 정업正業 : 올바른 행동[正業]은 삼업 가운데 신업身業을 말한
   다. 살생하지 않고 방생放生하며, 도적질하지 않고 보시하며,
   삿된 음행을 하지 않고 청정하게 생활하는 것을 말한다. 이것
   도 역시 바른 견해의 적극적 실천이다.

5. 정명正命 : 올바른 생활 수단을 말하는 것으로 바른 견해에 입
   각한 전체적인 생활에서 바른 몸가짐과 마음가짐을 실천하는

것이다. 이는 곧 정당한 방법으로 의식주를 구하는 것으로 남과 나를 다 같이 이롭게 하는 바른 직업을 갖는 것도 그 뜻의 하나다.

6. 정정진正精進 : 올바른 노력, 한마음으로 노력해 나가는 것을 뜻한다. 이는 곧 노력으로 말미암아 아직 발생하지 아니한 악惡을 생기지 못하게 하며, 생기지 아니한 선善을 발생하게 하는 일이며, 옳은 일에는 물러섬이 없고 밀고 나가는 정열과 용기를 뜻하기도 한다. 이는 바로 불자의 구도 자세라 할 수 있다.

7. 정념正念 : 올바른 정신과 생각과 기억이다. 삿된 생각을 버리고 항상 자신의 향상을 위하여 정신을 집중하는 것을 말한다. 또한 바르게 기억하는 것으로 생각할 바에 따라 잊지 않는 것이다. 참된 진리를 항상 명심하고 기억하여 다른 잡념이 일어나지 않도록 하는 것이다. 이것은 정사유正思惟와 함께 내면적인 마음의 기초를 확고하게 다지는 것이다. 그렇게 하여 그 마음속에 정견正見이 가득하고 항상하게 하는 것이다.

8. 정정正定 : 바르게 집중한다는 말로서 마음을 한곳에 모으는 것인데 삼매三昧라는 음역어를 통해서 우리에게 잘 알려진 수행법이기도 하다. 이는 정념正念이 더욱 깊어진 상태로서, 정념의 성취로 몸과 마음의 조화가 이루어지고 지극히 잘 조화되

고 통일된 마음에 온갖 번뇌와 어지러운 대상이 모두 쉬게 되면서 마치 가을 하늘에 지혜의 달이 뚜렷이 빛나는 경지와 같은 것이다.

지금까지 37조도법을 열거하였다. 모두가 초기근본불교의 수행법들이다. 그 모든 것을 보살은 다 알고 수행하지만 보살행을 행하는 데는 조금도 게으르거나 부족함이 없다. 역시 어디에도 치우치지 않는 보살행의 중도적 삶을 밝혔다.

수 행 지 관 조 도 지 법　　　　이 불 필 경　　　타 어 적 멸　　시
雖行止觀助道之法이나 **而不畢竟**에 **墮於寂滅**이 **是**

보 살 행
菩薩行이며

"비록 지관止觀과 조도助道의 법을 행하나 필경에 적멸에 떨어지지 않는 것이 보살행입니다."

지관止觀은 불교의 수행법인 지止와 관觀을 통틀어 말하는 것으로, 지止는 모든 망념을 그치게 하여 마음을 하나의 대상에 기울이

는 것이며, 관觀은 지로써 얻은 명지明知에 의해 사물을 올바르게 보는 것을 말한다. 즉 지관은 선정禪定과 지혜智慧에 해당되며, 지와 관의 양자兩者는 마치 수레의 두 바퀴 같은 상호의존 관계에 있다. 지와 관은 계戒와 아울러 불교의 중요한 실천 항목이다. 그리고 조도助道의 법이란 앞에서 열거한 37조도법이다. 보살이 이와 같은 법들을 다 실천 수행한다 하더라도 고요하고 소극적인 선정이나 적멸의 상태에 떨어져 있으면 그것은 보살행이 아니므로 그렇게 밝혔다.

수 행 제 법 불 생 불 멸　　이 이 상 호　　장 엄 기 신　　시
雖行諸法不生不滅이나 **而以相好**로 **莊嚴其身**이 **是**

보 살 행
菩薩行이며

"비록 모든 법이 불생불멸함을 행하나 상호로써 그 몸을 장엄하는 것이 보살행입니다."

모든 존재[諸法]가 불생불멸이라면 32상이나 80종호와 같은 외적인 모양을 굳이 갖출 필요가 없다. 그러나 그것은 한쪽으로 치우

친 생각이다. 현명하고 지혜로운 사람으로서의 생각은 아니다. 불생불멸을 행하더라도 32상과 80종호로써 아름답게 장엄하여야 중생을 교화하는 데 훌륭한 방편이 된다.

수 현 성 문 벽 지 불 위 의　　이 불 사 불 법　　시 보 살 행
雖現聲聞辟支佛威儀나 **而不捨佛法**이 **是菩薩行**이며

"비록 성문과 벽지불의 위의를 나타내나 부처님의 법을 버리지 않는 것이 보살행입니다."

'당당승상堂堂僧相이 용모가관容貌可觀'이라는 말이 있다. '외현성문外現聲聞 내비보살內秘菩薩'이라는 말도 있다. 성문이나 연각은 그 위의威儀를 중요시한다. 그러나 외형적인 위의보다는 내면의 부처님 가르침을 충실히 갖추는 것이 중요하다. 보살은 외적인 모습과 내적인 지혜와 자비의 불법佛法을 어디에도 치우치지 않으면서 조화를 이루어 이상적인 삶을 영위한다.

수수제법구경정상　　이수소응　　위현기신　시
雖隨諸法究竟淨相이나 而隨所應하야 爲現其身이 是

보살행
菩薩行이며

"비록 모든 법이 끝까지 텅 빈 모습[究竟淨相]임을 따르나 응할 바를 따라서 그 몸을 나타내는 것이 보살행입니다."

구경정상究竟淨相이란 철저히 텅 비어 공空한 모습이다. 모든 존재가 철저히 공[諸法空相]하지만 그 공한 가운데서 중생 교화를 위해 아름다운 몸을 나타내는 것이 보살행이다. 『반야심경』에서 관자재보살은 안이비설신의眼耳鼻舌身意도 없고 색성향미촉법色聲香味觸法도 없다고 하였으나 누구보다도 값비싼 옷과 장신구를 몸에 걸쳐 장엄하였으며 심지어 화장까지 하고 있다. 관자재보살은 존재의 공성空性을 누구보다도 깊이 깨달은 사람이다. 그러나 한편 누구보다도 외형을 더 잘 가꾸는 보살이다. 중도적 삶이란 본래로 그와 같다.

수 관 제 불 국 토　　영 적 여 공　　이 현 종 종 청 정 불 토
雖觀諸佛國土가 **永寂如空**이나 **而現種種淸淨佛土**가

시 보 살 행
是菩薩行이며

"비록 모든 불국토가 영원히 적멸한 것이 공空과 같음을 관찰하나 가지가지 청정한 불토를 나타내는 것이 보살행입니다."

국토란 우리의 환경이다. 앞에서 설명한 바와 같이 보살은 몸에 대해서 텅 빈 이치를 알면서도 몸을 잘 꾸미듯이 국토에 대해서도 역시 본래로 텅 비어 공하다는 사실을 잘 관찰하여 알지만, 중생의 근기와 수준에 따라 그들을 교화하기 위하여 갖가지 아름다운 국토를 장엄하고 나타내는 것이 또한 보살의 중도적 삶이다. 자신의 몸도 환경도 중생도 모두 중도적 관점을 떠나서는 보살행은 있을 수 없다. 어느 쪽이든지 치우치는 것은 어리석은 중생이거나 아니면 못난 소승小乘이다.

수 득 불 도　　전 어 법 륜　　입 어 열 반　　이 불 사 어
雖得佛道하야 **轉於法輪**하고 **入於涅槃**이나 **而不捨於**

보살지도　시보살행　　설시어시　문수사리소장
菩薩之道가 是菩薩行이니다 說是語時에 文殊師利所將

대중　기중팔천천자　개발아뇩다라삼먁삼보리심
大衆에 其中八千天子가 皆發阿耨多羅三藐三菩提心

이러라

"비록 불도를 얻어서 법륜을 굴리고 열반에 들어가나 보살
도를 버리지 아니하는 것이 보살행입니다."

이러한 말을 할 때에 문수사리가 거느린 대중 가운데 8천
명의 천자가 모두 최상의 깨달음에 대한 마음을 발하였습니다.

그동안 여러 가지 보살행을 밝혔다. 마지막으로 보살행을 한마
디로 요약하면 이러한 것이라는 뜻으로 설하신 내용이다. 모든 불
교도佛敎徒가 이처럼 불교를 바르게 알아야 할 것이다. 불교에는 여
러 가지 수행과 공부와 정진을 통해서 깨달음을 이루는 것, 즉 성
불成佛을 지상 목표로 하는 사람들이 있다. 그러나 아니다. 유마
거사의 법문과 같이 불도佛道를 얻고 나서 진리의 가르침인 법륜法
輪을 널리 굴려야 한다. 그리고 끝내는 열반에 들지만 보살도를 버
리지 말아야 한다는 것이 중요하다. 다시 말하면 성불을 하고 나
서 보살도를 행하는 것이 불교다. 즉 보살도를 행하는 것이 불교

의 최종 목적이다. 성불成佛은 보살도를 행하기 위한 준비 과정이라는 뜻이다.

위와 같은 여러 가지 보살행에 대한 설법을 듣고 문수사리보살이 인솔하여 온 8천 명의 천자天子가 모두 최상의 깨달음에 대한 마음을 내게 되었다. 문수보살이 유마 거사를 문병하기 위해 갔다가 위와 같은 위대한 가르침을 듣게 된 것이다.

六. 부사의품不思議品

「부사의품不思議品」에서는 앞에서 문병을 온 문수사리와 많은 문답을 하였으나 문병 온 사람들이 앉을 의자가 없어서 사리불이 앉을 자리를 생각하는 인연으로 구법求法의 문제와 불가사의한 법을 설하게 된다. 유마 거사는 수미상須彌相이라는 나라로부터 순식간에 3만2천 개의 의자를 옮겨 오고 비좁던 방장실方丈室을 끝없이 넓혀서 그 많은 의자와 대중을 다 수용하는 불가사의한 광경을 보여 주게 된다. 실로 한 먼지 속에 시방세계를 다 넣는 '일즉다 다즉일 一卽多 多卽一'의 화엄의 도리이다. 아울러 부사의 해탈이란 무슨 의미인가를 설법한다.

1. 구법求法

이시   사리불   견차실중   무유상좌   작시념
爾時에 舍利弗이 見此室中에 無有牀座하고 作是念하되

사제보살대제자중   당어하좌   장자유마힐
斯諸菩薩大弟子衆은 當於何座오하니라 長者維摩詰이

지기의   어사리불언   운하인자   위법래야
知其意하사 語舍利弗言하사대 云何仁者는 爲法來耶아

구상좌야   사리불   언   아위법래   비위상좌
求牀座耶아 舍利弗이 言하되 我爲法來오 非爲牀座니다

유마힐   언   유사리불   부구법자   불탐구명
維摩詰이 言하되 唯舍利弗이여 夫求法者는 不貪軀命이어든

하황상좌
何況牀座이리까

그때에 사리불이 이 방 가운데에 의자가 없는 것을 보고 이
러한 생각을 하였다.

'이 많은 보살과 큰 제자들은 어디에 앉아야 할까?'

장자 유마힐이 그 뜻을 알고 사리불에게 말하였다.

"스님은 법을 위해서 왔습니까, 의자를 위해서 왔습니까?"

사리불이 말하였다.

"저는 법을 위해서 왔습니다. 의자를 위해서 온 것은 아닙니다."

유마힐이 말하였다.

"이봐요. 사리불이여, 대저 법을 구하는 사람은 몸과 목숨을 탐하지 않습니다. 그런데 하물며 의자이겠습니까."

『유마경』은 그동안 대승大乘보살인 문수사리와의 대화를 통해서 고준高峻한 설법을 펼쳤다. 이제 다시 소승성문小乘聲聞인 사리불과의 대화를 통해 법을 구하는 마음 자세를 밝히고 있다. 사리불이 앉을 의자가 없는 것을 생각하자 유마힐이 대뜸 "당신은 법을 위해서 왔습니까, 의자를 위해서 왔습니까?"라고 따지는 것으로부터 시작한다. 『유마경』을 편찬한 사람의 마음을 읽어 보면 소승성문들의 편견과 집착을 지극하게 싫어하는 것이 드러나 있다. 아무튼 사리불의 일상적이고 평범한 한 생각으로 말미암아 법을 구하는 사람은 신명을 아끼지 않는다는 것으로부터 갖가지 구법求法 정신을 듣게 된다.

부 구 법 자　　비 유 색 수 상 행 식 지 구　　비 유 계 입 지 구
夫求法者는 非有色受想行識之求며 非有界入之求

비 유 욕 색 무 색 지 구
며 **非有欲色無色之求**니라

"대저 법을 구하는 사람은 색수상행식이 있음을 구하지 아니하며, 18계와 12입이 있음을 구하지 아니하며, 욕계와 색계와 무색계가 있음을 구하지 아니합니다."

　오온과 육근과 육경과 육식과 십이처와 십팔계와 욕계와 색계와 무색계 등은 세상에서 사람이 삶을 영위해 가는 전 영역이다. 이것을 떠나서는 인간의 삶은 이루어질 수 없다. 이처럼 인간 삶의 전 영역은 법과는 아무런 관계가 없다. 법을 구하는 사람은 이런 모든 것을 초월하고 제3의 삶을 추구하는 일이라는 의미이다.

유 사 리 불　　　부 구 법 자　　불 착 불 구　　불 착 법 구
唯舍利弗이여 夫求法者는 不着佛求며 不着法求며

불 착 중 구
不着衆求니라

"사리불이여, 대저 법을 구하는 사람은 부처님을 집착하여 구하지 아니하며, 법을 집착하여 구하지 아니하며, 대중을 집착하여 구하지 아니합니다."

불교의 세계에 가장 근본이 되는 것은 삼보三寶다. 이 삼보를 버리고는 불교를 생각할 수 없다. 그래서 불교의 모든 의식은 먼저 삼보에 귀의하는 것으로부터 시작한다. 그러나 삼보가 불교의 궁극이라고 집착하면 그것은 또한 편견이다. 편견은 불교가 아니다. 진정한 법을 구하는 사람은 불법승 삼보에 집착하여 구하지 않는다.

부구법자　무견고구　무단집구　무조진증수도
夫求法者는 無見苦求며 無斷集求며 無造盡證修道

지구　소이자하　법무희론　약언아당견고단집
之求니 所以者何오 法無戲論이라 若言我當見苦斷集

　증멸수도　시즉희론　비구법야
하며 證滅修道인댄 是則戲論이요 非求法也니라

"대저 법을 구하는 사람은 고통을 보아 구하지 아니하며, 고통의 원인[集]을 끊음을 구하지 아니하며, 증득함을 다하고 도를 닦음에 나아감을 구하지 아니합니다. 왜냐하면 법은 희론이 없기 때문입니다. 만약 '나는 마땅히 고통을 보고 고통의 원인을 끊으며 소멸을 증득하고 도를 닦는다.'고 말하면 이것은 희론이며 법을 구하는 것이 아닙니다."

고집멸도苦集滅道 사성제는 근본불교 교리의 기본이다. 세존이 성도成道하시고 처음 녹야원에서 다섯 명의 비구를 교화하기 위해서 최초로 설법하신 내용이 고집멸도의 가르침이었다. 그러므로 고집멸도는 초기불교의 바탕이 된다. 그런데 유마 거사는 "진정한 법은 고집멸도에서 구하는 것이 아니다. 그것은 희론戲論일 뿐이다. 법은 희론이 아니다."라고 하였다. 희론이란 참되고 바른 이치가 아니며 진실하지 못한 내용을 가지고 장난삼아 하는 말이라는 뜻이다. 대승불교적 안목에서 소승불교를 어떻게 보는가 하는 뜻이 잘 나타나 있다.

유 사 리 불　법 명 적 멸　　약 행 생 멸　시 구 생 멸
唯舍利弗아 法名寂滅이어늘 若行生滅인댄 是求生滅이요

비 구 법 야
非求法也며

"사리불이여, 법은 이름이 적멸입니다. 만약 생멸을 행하면 이것은 생멸을 구하는 것이지 법을 구하는 것이 아닙니다."

불법의 중요한 한 면은 생사를 초월하는 것이다. 생사生死는 곧 생멸生滅이다. 사람과 모든 존재의 생멸을 초월한 경지를 적멸寂滅이라고 한다. 『열반경』 사구게에 "제행무상 시생멸법 생멸멸이 적멸위락諸行無常 是生滅法 生滅滅已 寂滅爲樂"이라고 하였다. 즉 "모든 법이 무상無常하니 이것이 생멸하는 법이다. 생멸이 다 멸하고 나면 적멸이 곧 낙樂이 된다."라는 뜻이다. 적멸의 경지가 법이다. 만약 생멸을 구한다면 그것은 법을 구하는 것이 아니다.

법 명 무 염　　약 염 어 법　　내 지 열 반　　시 즉 염
法名無染이어늘 **若染於法**이면 **乃至涅槃**이라도 **是則染**

착　　비 구 법 야
着이요 **非求法也**며

"법은 이름이 염착이 없음입니다. 만약 법에 염착되거나 내

지 열반이라 하더라도 이것은 곧 염착입니다. 법을 구하는 것
은 아닙니다."

『금강경오가해』 야보冶父 스님의 게송에 "유불처有佛處에 부득주
不得住하고 무불처無佛處에 급주과急走過하라."라는 말이 있다. 즉
"부처님이 계신 곳에도 머무르지 말고, 부처님이 없는 곳에는 급히
지나가라."라는 것이다. 아무리 훌륭한 법이라 하더라도 그 법에
물들거나 집착하면 진정한 법과는 거리가 멀다. 심지어 열반이라
하더라도 집착하면 이미 그것은 열반이 아니다.

법 무 행 처　　약 행 어 법　　시 즉 행 처　　비 구 법 야
法無行處어늘 **若行於法**이면 **是則行處**요 **非求法也**며

"법은 행하는 것이 없음입니다. 만약 법을 행하면 이것은 곧
행하는 것이 되므로 법을 구하는 것이 아닙니다."

법을 행한다는 것은 참선을 하거나 간경看經을 하거나 염불을 하
거나 주문을 외거나 기도를 하는 등의 수행修行을 뜻하는 것이다.
이와 같은 모든 수행은 방편으로는 있을 수 있으나 진정한 법의 입

장에서는 행하는 것이 없다. 법에는 더 보탤 것도 없고 뺄 것도 없으며 장엄하여 꾸밀 것도 없다. 다만 본래 지니고 있는 기존의 것일 뿐이다. 달리 말하면 모든 사람이 본래로 갖추고 있는 것이 곧 법이다. 진여자성이니 불성이니 법성이니 참마음이니 참사람이라고 하는 본래의 법이기 때문이다. 그렇다면 법을 위해서 무엇을 달리 행할 것이 있겠는가.

법 무 취 사　　약 취 사 법　　시 즉 취 사　　비 구 법 야
法無取捨어늘 **若取捨法**이면 **是則取捨**요 **非求法也**며

"법은 취사取捨가 없습니다. 만약 법을 취하거나 버리면 이것은 곧 취하고 버림입니다. 법을 구하는 것이 아닙니다."

법을 달리 말하면 "원만하기가 태허공과 같아서 모자람도 없고 남음도 없는데 진실로 취사를 말미암아 여여하지 못하다[圓同太虛 無欠無餘 良由取捨 所以不如]."라고 한 그것이다. 법은 실로 취사가 없다. 어느 것도 법 아닌 것이 없기 때문이다.

법무처소　　약착처소　　시즉착처　　비구법야
法無處所어늘 若着處所인댄 是則着處요 非求法也며

"법은 처소가 없습니다. 만약 처소에 집착하면 이것은 곧 집착하는 처소입니다. 법을 구하는 것이 아닙니다."

"도道란 잠깐도 시간이나 공간을 떠나서는 있을 수 없다. 만약 떠나 있다면 그것은 도가 아니다[道不可須臾離 可離非道]."라는 말이 있다. 실로 법이란 따로 처소가 없다. 만약 따로 처소가 있으면 도가 없는 곳이 있기 때문이다.

법명무상　　약수상식　　시즉구상　　비구법야
法名無相이어늘 若隨相識인댄 是則求相이요 非求法也며

"법은 이름이 무상입니다. 만약 상을 따라 인식하면 이것은 곧 상을 구하는 것입니다. 법을 구하는 것이 아닙니다."

'범소유상凡所有相이 개시허망皆是虛妄'이라고 하였다. 상相에 집착하고 상에 이끌리고 상에 속아 사는 것은 어리석은 사람의 삶이다. 우리가 보는 모든 상相은 다 허상虛像이다. 가상假像이다. 환영幻影

이며 환상幻像이다. 이러한 상을 구한다면 그것은 법이 아니다.

법 불 가 주　　약 주 어 법　　시 즉 주 법　　비 구 법 야
法不可住어늘 **若住於法**이면 **是則住法**이요 **非求法也**며

"법은 머물 수 없습니다. 만약 법에 머물면 이것은 곧 머무는 법입니다. 법을 구하는 것이 아닙니다."

"마음은 머물지 않고 끊임없이 살아서 움직인다, 또는 머물지 않고 마음이 끊임없이 생동하고 있다[應無所住 以生其心]."라는 말도 있다. 법은 이처럼 머무는 것이 아니다. 머물면 썩은 것이지 법이 아니다.

법 불 가 견 문 각 지　　약 행 견 문 각 지　　시 즉 견 문 각
法不可見聞覺知어늘 **若行見聞覺知**면 **是則見聞覺**

지　비 구 법 야
知요 **非求法也**며

"법은 견문각지見聞覺知가 아닙니다. 만약 견문각지를 행하면

이것은 곧 견문각지일 뿐입니다. 법을 구하는 것이 아닙니다."

사람은 무엇을 보고 듣고 느끼고 알고 하는 일이 삶의 전부다. 법도 실은 얼핏 보기에 보고 듣고 느끼고 알고 하는 그것뿐인 것처럼 보인다. 그러나 보고 듣고 느끼고 알고 하는 것의 완전한 부정을 거친 후에 다시 보고 듣고 느끼고 알고 하는 것이 되어야 법이다. 예컨대 산의 정상을 정복한 뒤에 다시 평지로 돌아온 것과 같다. 또한 산은 산이 아니고 물은 물이 아닌 연후에 다시 산은 다만 산이고 물은 다만 물인 것과 같은 이치다.

법 명 무 위   약 행 유 위   시 구 유 위   비 구 법 야
法名無爲어늘 **若行有爲**면 **是求有爲**요 **非求法也**니라

"법은 이름이 무위입니다. 만약 유위를 행하면 이것은 유위를 구하는 것입니다. 법을 구하는 것이 아닙니다."

『금강경』에 "일체의 현성들이 모두 무위법으로 유위의 차별을 만들었다."라는 말이 있다. 유위는 허망한 것이고 가설이고 환영幻影이다. 무위는 불변의 진리다. 불교가 말하는 진리가 다른 종교나

철학과 다른 점이 곧 이 무위법으로써 진실한 법을 삼는 점이다.

시고　사리불　약구법자　어일체법　응무소구
是故로 **舍利弗**이여 **若求法者**는 **於一切法**에 **應無所求**

설시어시　오백천자어제법중　득법안정
니라 **說是語時**에 **五百天子於諸法中**에 **得法眼淨**하니라

"그러므로 사리불이여, 만약 법을 구하는 사람은 일체의 법
에 있어서 응당 구하는 바가 없어야 합니다."

이 말을 설할 때에 5백 명의 천자天子가 모든 법 가운데 법
안法眼이 청정함을 얻었다.

법은 얻을 것도 없으며 구할 것도 없다. 구할 것이 없으므로 얻
을 것도 없다. 『반야심경』에 "얻을 것이 없으므로 보리살타는 반야
바라밀다를 의지하여 마음에 걸림이 없으며 걸림이 없으므로 공포
가 없다. 전도몽상顚倒夢想을 멀리 떠나서 열반을 성취한다."라고
하였다.

2. 사자좌獅子座

이시 장자유마힐 문문수사리 인자 유어
爾時에 長者維摩詰이 問文殊師利하사대 仁者가 遊於

무량천만억아승지국 하등불토 유호상묘공덕
無量千萬億阿僧祇國이시니 何等佛土에 有好上妙功德

성취사자지좌 문수사리언 거사 동방
으로 成就獅子之座닛까 文殊師利言하사대 居士여 東方으로

도삼십육항하사국 유세계 명 수미상 기
度三十六恒河沙國하야 有世界하니 名은 須彌相이요 其

불호 수미등왕 금현재피 불신 장 팔만사
佛號는 須彌燈王이라 今現在彼하되 佛身의 長은 八萬四

천유순 기사자좌고 팔만사천유순 엄식제일
千由旬이요 其獅子座高도 八萬四千由旬이라 嚴節第一

이니다

그때에 장자 유마힐이 문수사리에게 물었다.

"인자께서는 한량없는 천만억 아승지 국토를 다녔으니 어떤 국토에 대단히 훌륭하고 아름다운 공덕을 갖춘 사자좌가 있었습니까?"

문수사리가 말하였다.

"거사여, 동방으로 36항하강의 모래 수와 같이 많은 국토를 지나서 세계가 있습니다. 이름은 수미상須彌相이며 부처님의 호는 수미등왕須彌燈王입니다. 지금 그곳에 계시는데 부처님의 몸은 키가 8만4천 유순이요, 그 사자좌의 높이도 8만4천 유순입니다. 장엄과 장식이 세상에서 제일입니다."

앞에서 사리불이 앉을 의자를 생각한 인연으로 법을 구하는 마음에 대해서 길게 설법을 들었다. 유마힐은 다시 인간적인 입장으로 돌아와서 훌륭한 의자를 구해서 문병 온 사람들을 앉게 하려고 하였다. 훌륭한 의자를 어디서 구할까? 아마도 경험이 많고 견문이 넓은 문수사리에게 물을 수밖에 없었다. 문수사리는 수미상須彌相 세계의 아름다운 의자를 소개하였다.

어시   장자유마힐   현신통력   즉시피불   견
於是에 長者維摩詰이 現神通力하시니 卽時彼佛이 遣

삼만이천사자지좌   고광엄정   내입유마힐실
三萬二千獅子之座하사대 高廣嚴淨이라 來入維摩詰室

          제보살대제자   석범사천왕등   석소미견
이어늘 諸菩薩大弟子와 釋梵四天王等이 昔所未見이라

기실   광박   실개포용삼만이천사자좌   무소방
其室이 廣博하야 悉皆包容三萬二千獅子座하되 無所妨

애   어비야리성   급염부제사천하   역불박책
礙하고 於毘耶離城과 及閻浮提四天下도 亦不迫迮하야

실견여고
悉見如故러라

　이에 장자 유마힐이 신통력을 나타내시니 즉시에 수미등왕 부처님이 3만2천 개의 사자좌를 보내 왔다. 매우 높고 넓으며 아름답게 장엄하여 있었다. 의자가 유마힐의 방에 들어왔는데 여러 보살과 큰 제자들과 제석천과 범천과 사천왕들이 예전에 보지 못하던 일이었다. 그 방은 넓고 넓어 3만2천 개의 사자좌를 모두 다 수용하였으나 조금도 비좁거나 걸림이 없었다. 비야리 성城과 염부제와 사천하도 또한 비좁지 않고 모두

다 예와 똑같았다.

　이 품品은 이름이 「부사의품不思議品」이다. 생각으로 이해할 수 없는 법, 사변思辨으로 이해가 되지 않는 도리, 상상이 안 되는 경지라는 뜻이다. 즉 유마힐의 작은 방안에 어마어마하게 높고 큰 의자 3만2천 개를 다 넣어도 조금도 비좁거나 걸림이 있지 않았다는 이야기가 바로 부사의한 도리라는 것이다. 즉 먼지 하나 속에 온 시방세계를 다 함유하고 있다[一微塵中含十方]는 이치다. 모든 존재가 꿈이며 가상이며 허상이며 환영이라는 이치를 터득한 경지에서는 크고 작음이 걸림 없으며 많고 적음도 걸림 없으며 멀고 가까움도 걸림이 없다. 3만2천 개의 사자좌를 작은 먼지 속에 넣는 것도 아무런 어려움이 없다. 하물며 방안에 넣는 것이겠는가.

　우리들 마음은 실로 부사의하다. 시간도 공간도 마음의 입장에서는 자유자재하다. 무엇이 걸리겠는가. 예컨대 아무리 빠른 위성이라도 빛의 속도보다는 느리다. 그러나 우리들 마음은 수십억 광년의 먼 거리까지라도 단 1초 안에 갔다가 다시 돌아올 수가 있다. 참으로 부사의하지 않은가. 『갈매기 조나단』이라는 소설에서도 이미 밝힌 바 있다. 시간이 그렇다면 공간도 역시 그와 같다. 과학이 좀 더 발달하면 이러한 것을 모두 증명해 보일 것이다.

이 시　유 마 힐　어 문 수 사 리　　취 사 자 좌　　여
爾時에 **維摩詰**이 **語文殊師利**하사대 **就獅子座**하야 **與**

제 보 살 상 인　　구 좌　　당 자 입 신　　여 피 좌 상
諸菩薩上人으로 **俱坐**하되 **當自立身**을 **如彼座像**이어다하니

기 득 신 통 보 살　　즉 자 변 형　　위 사 만 이 천 유 순　　좌
其得神通菩薩은 **卽自變形**하여 **爲四萬二千由旬**하야 **坐**

사 자 좌　　제 신 발 의 보 살　　급 대 제 자　개 불 능 승
獅子座하고 **諸新發意菩薩**과 **及大弟子**는 **皆不能昇**이어늘

그때에 유마힐이 문수사리에게 말하였다.

"사자좌에 나아가서 보살과 스님들과 함께 앉으십시오. 저절로 그 몸이 저 사자좌와 같아질 것입니다."

신통을 얻은 보살들은 곧 스스로 형체를 변화시켜 키가 4만 2천 유순이 되어서 사자좌에 앉았으나 새로 발심한 보살과 큰 제자들은 모두 사자좌에 올라가지 못하였다.

사람은 작은데 의자는 너무 크다. 그러나 그 의자는 본래로 오지 않고 왔으며 크지 않고 큰 것이어서 사람의 크기에 맞추거나 사람이 의자의 크기에 맞추거나 서로가 원융무애圓融無礙하고 자유자재한 경지이기 때문에 아무런 걸림이 없다. 모든 존재는 본래로 이

렇게 존재한다. 하지만 눈에 보이는 현상만 쫓아다니고 현상에 이
끌려 살다 보니 존재의 공성空性이나 존재의 원융성圓融性을 느끼지
못하고 알지 못할 뿐이다. 새로 발심한 보살이나 설사 부처님의 큰
제자라 하더라도 소승적 안목에 사로잡혀 눈에 보이는 현상만을
쫓아가고 있는 이들은 그 높은 사자좌에 올라가지 못하고 바라만
볼 뿐이다.

이시　유마힐이　어사리불하사대　취사자좌하라　사리
爾時에 維摩詰이 語舍利弗하사대 就獅子座하라 舍利

불이　언하사대　거사여　차좌고광하여　오불능승이니다　유마
弗이 言하사대 居士여 此座高廣하여 吾不能昇이니다 維摩

힐이　언하사대　유사리불이여　위수미등왕여래하여　작례라사
詰이 言하사대 唯舍利弗이여 爲須彌燈王如來하여 作禮라사

내가득좌라　어시에　신발의보살과　급대제자가　즉위
乃可得坐라 於是에 新發意菩薩과 及大弟子가 卽爲

수미등왕여래작례하고　변득좌사자좌하니라
須彌燈王如來作禮하고 便得坐獅子座하니라

　그때에 유마힐이 사리불에게 말하였다.

"사자좌에 나아가십시오."

사리불이 말하였다.

"거사여, 이 사자좌는 높고 넓어서 나는 올라갈 수 없습니다."

유마힐이 말하였다.

"사리불이여, 수미등왕 여래를 위하여 예배해야 그 자리에 앉을 수 있습니다."

이에 새로 발심한 보살과 큰 제자들이 곧 수미등왕 여래에게 예배하였다. 그리고 곧 사자좌에 앉게 되었다.

『유마경』은 처음부터 대승보살불교를 선양하는 경전이다. 그러므로 부처님의 출가 제자 중에 지혜가 제일이라는 사리불도 사事와 사事가 무애한 존재의 원융성은 알지 못하므로 높고 높은 사자좌에 스스로는 오르지 못하고 수미등왕 여래에게 예배한 뒤에 부처님의 힘을 빌려 겨우 오르게 됨을 밝혔다.

사 리 불   언   거 사   미 증 유 야   여 시 소 실   내
舍利弗이 言하되 居士여 未曾有也로다 如是小室에 乃

용수차고광지좌   어비야리성   무소방애   우어
容受此高廣之座하되 **於毘耶離城**에 **無所妨礙**하고 **又於**

염부제   취락성읍   급사천하   제천   용왕   귀신
閻浮提의 **聚落城邑**과 **及四天下**에 **諸天·龍王·鬼神**

궁전   역불박책
宮殿도 **亦不迫迮**이니다

사리불이 말하였다.

"거사여, 미증유입니다. 이와 같은 작은 방에 이러한 높고 넓은 의자를 수용하였으나 비야리 성에는 아무런 장애되는 것이 없고, 또 염부제의 마을과 성城과 읍과 사천하와 또 모든 천신과 용왕과 귀신들의 궁전도 또한 좁아지지 않았습니다."

형체가 있는지 없는지 모두가 사사무애事事無礙하다. 마치 한 법당 안에 등불을 천 개를 켜나 만 개를 켜나 그 불빛들은 서로 장애하지 않고 다 자신의 빛을 드러내는 것과 같다. 모양과 형상의 한계에 가로막혀 있는 사리불로서는 참으로 놀라운 일이 아닐 수 없다. 보살의 불가사의한 해탈의 경계를 설하기 위하여 불가사의한 현상을 먼저 보여 준 것이다.

3. 불가사의 해탈

유마힐 언   유사리불   제불보살 유해탈
維摩詰이 言하되 唯舍利弗이여 諸佛菩薩이 有解脫하니

명   불가사의   약보살   주시해탈자   이수미지고
名은 不可思議라 若菩薩이 住是解脫者는 以須彌之高

광   내개자중   무소증감   수미산왕   본상여
廣으로 內芥子中하되 無所增減하고 須彌山王도 本相如

고   이사천왕   도리제천   불각부지기지소입
故하며 而四天王과 忉利諸天이 不覺不知己之所入이로되

유응도자   내견수미   입개자중   시명불가사
唯應度者라사 乃見須彌가 入芥子中하나니 是名不可思

의해탈법문
議解脫法門이니라

유마힐이 말하였다.

"사리불이여, 모든 부처님과 보살들에게는 해탈이 있습니다.

이름은 불가사의不可思議입니다. 만약 보살이 이 해탈에 머무는 이는 수미산과 같이 높고 넓은 것을 겨자씨에 넣더라도 더하거나 감하는 바가 없고 수미산도 본래의 모양이 예전 그대로입니다. 그러나 사천왕과 도리천과 같은 여러 천왕은 자신들이 겨자씨에 들어간 것을 느끼지 못하고 알지 못합니다. 오직 꼭 제도될 사람은 수미산이 겨자씨에 들어간 것을 볼 것입니다. 이것이 이름이 불가사의 해탈 법문입니다."

　세상사 자세히 뜯어보면 불가사의하지 않은 것이 없다. 첫째는 사람의 마음작용이 불가사의하다. 사람의 몸이 훈련에 의해서 상상도 못할 재주를 부릴 수 있는 것도 역시 불가사의하다. 요즘은 정보가 발달해서 세상에서 벌어지는 온갖 불가사의한 일들을 다 알 수 있다. 수미산이 겨자씨에 들어가는 것도 불가사의하지만 한 사람이 만 권의 책을 읽는 것도 불가사의하고 손톱만 한 작은 칩 속에 수십만 권의 책이 들어가는 것도 불가사의하고 한국에 앉아 미국이나 아프리카에서 지금 벌어지고 있는 일을 그대로 보고 들을 수 있는 것도 불가사의하다. 모두가 불가사의 해탈 법문이다.

우이사대해수　입일모공　　불요어별원타수성지
又以四大海水로 **入一毛孔**하되 **不嬈魚鼈黿鼉水性之**

속　　이피대해　본성여고　　제룡귀신　아수라등
屬하고 **而彼大海**도 **本性如故**하며 **諸龍鬼神**과 **阿修羅等**이

불각부지기지소입　　어차중생　역무소요
不覺不知己之所入하고 **於此衆生**도 **亦無所嬈**니라

"또한 사방의 큰 바닷물로써 한 모공에 넣어도 고기와 자라와 도롱뇽, 악어와 같은 물의 권속들을 괴롭히지 않으며, 저 큰 바다도 본래 모습은 그대로입니다. 온갖 용과 귀신과 아수라들이 자신이 모공에 들어간 것을 느끼지 못하고 알지 못하며 이곳의 중생도 또한 번거롭거나 괴롭지 않습니다."

　필자가 이 자리에 앉아 1백 페이지의 글을 쓴 것을 천 명, 만 명, 수억만 명이 복사해서 사용해도 내가 쓴 글이 조금도 손상이 있거나 잘못되지 않고 그대로 있는 것도 불가사의한 일이다. 그림이나 음악이나 동영상을 마찬가지로 수억만 명이 복사해 가도 조금도 줄어들거나 손상되지 않고 원본과 똑같이 사용할 수 있는 것도 역시 불가사의한 일이다. 큰 바닷물을 한 모공에 넣을 수 있는 것도 불가사의다. 왜 모든 것이 불가사의인가 하면 모든 존재의 이치가

본래로 그렇기 때문이다.

우 사 리 불　　　　주 불 가 사 의 해 탈 보 살　　단 취 삼 천 대
又舍利弗이여　住不可思議解脫菩薩은　斷取三千大

천 세 계　　　여 도 가 륜　　　착 우 장 중　　　척 과 항 하 사 세
千世界호대　如陶家輪하야　着右掌中하고　擲過恒河沙世

계 지 외　　　기 중 중 생　　불 각 부 지 기 지 소 왕　　우 부 환
界之外어든　其中衆生은　不覺不知己之所往하며　又復還

치 본 처　　　도 불 사 인　　유 왕 래 상　　　이 차 세 계　　본
置本處하되　都不使人으로　有往來想하고　而此世界는　本

상 여 고
相如故니라

"또 사리불이여, 불가사의 해탈에 머문 보살은 삼천대천세계
를 끊어 가지기를 마치 질그릇을 만드는 사람이 흙을 다루듯
이 오른쪽 손바닥에 두고 항하강의 모래 수와 같은 세계 밖에
다 던지는데 그 안에 있는 중생은 자신들이 멀리 가는 것을 느
끼지도 못하고 알지도 못합니다. 또다시 본래의 곳에 던져 두
어도 도무지 사람에게는 가고 오는 생각을 하지 않으며 이 세

계도 본래의 모습이 예와 같이 그대로입니다."

질그릇이나 도자기를 만드는 사람들은 흙덩이로 그릇을 만드는 데 필요한 흙을 잘라서 버리기도 하고 더 가져다가 붙이기도 하는 일이 자유자재하다. 그래도 그 흙은 느끼지 못하고 알지도 못한다. 또 흙의 본성도 아무런 손상이 없다. 참으로 불가사의하다. 공간의 문제가 불가사의하다는 뜻이다.

又舍利弗_{이여} 或有衆生_이 樂久住世而可度者_면 菩薩_이 卽演七日_{하야} 以爲一劫_{하야} 令彼衆生_{으로} 謂之一劫_{이라하며} 或有衆生_은 不樂久住而可度者_면 菩薩_이 卽促一劫_{하야} 以爲七日_{하야} 令彼衆生_{으로} 謂之七日_{이니라}

"또 사리불이여, 혹 어떤 중생이 세상에 오래 머물기를 바라고 제도될 사람에게는 보살이 7일을 늘리어 1겁을 만들어 그

중생으로 하여금 1겁으로 여기게 합니다. 혹 어떤 중생이 세상에 오래 머물기를 바라지 않고 제도될 사람에게는 보살이 곧 1겁을 줄여서 7일이 되게 하여 그 중생으로 하여금 7일로 여기게 합니다."

공간이 불가사의하듯이 시간의 문제도 역시 불가사의함을 밝혔다. 중생을 제도하는 데 필요에 따라 시간을 늘리기도 하고 줄이기도 한다. 중생을 제도하는 것이 목적이라면 보살은 불가사의한 일을 다 나타내 보인다.

우 사 리 불　　주 불 가 사 의 해 탈 보 살　　이 일 체 불 토
又舍利弗이여 住不可思議解脫菩薩은 以一切佛土

엄 식 지 사　　집 재 일 국　　시 어 중 생　　우 보 살　　이 일
嚴飾之事로 集在一國하야 示於衆生하며 又菩薩이 以一

체 불 토 중 생　　치 지 우 장　　비 도 시 방　　변 시 일 체
切佛土衆生으로 置之右掌하고 飛到十方하야 遍示一切

　　이 부 동 본 처
하되 而不動本處니라

"또 사리불이여, 불가사의 해탈에 머문 보살은 일체 불토에 장엄한 것을 한 나라에 모아 두어 중생에게 보입니다. 또 보살이 일체 불토의 중생을 오른쪽 손바닥에 올려두고 온 시방을 날아다니며 일체 사람들에게 두루 보여도 본래의 장소는 움직이지 않습니다."

아무리 기상천외하고 불가사의한 일이라 하더라도 경전의 말씀은 마술과는 다르다. 마술은 눈속임으로 한순간 사람들의 눈을 속여서 그렇게 보이게 하는 것이다. 경전의 말씀은 모든 존재가 이미 그와 같이 불가사의한 모습으로 존재하고 있는 사실을 깨달은 사람의 안목으로 설명한 것이다. 사람에게서 가장 차별이 심한 문제가 안목이다. 한 가지 사실과 사물을 두고도 그 견해는 천차만별이다. 진리를 깨달은 사람과 어리석은 사람이 인생을 보고 세상을 보는 것에는 먼지 하나와 지구 하나의 차이가 나기도 한다. 깨달은 사람에게 왜 위와 같은 불가사의한 경지가 없겠는가.

우 사 리 불　　시 방 중 생　　공 양 제 불 지 구　　보 살　　어
又舍利弗이여 十方衆生의 供養諸佛之具를 菩薩이 於

일 모 공　개 영 득 견　　우 시 방 국 토　소 유 일 월 성 수
一毛孔에 皆令得見케하며 又十方國土에 所有日月星宿를

어 일 모 공　보 사 견 지
於一毛孔에 普使見之니라

"또 사리불이여, 시방 중생이 모든 부처님께 공양하는 물건을 보살이 한 모공에서 다 볼 수 있게 합니다. 또 시방 국토에 있는 모든 해와 달과 별들을 한 모공에서 다 볼 수 있게 합니다."

작은 눈동자에 큰 건물과 큰 산과 빠르게 지나가는 물체와 저 멀리 있는 태양과 별들, 그리고 어둠과 밝음까지 모두가 들어오는 것도 알고 보면 역시 불가사의한 일이 아닐 수 없다.

우 사 리 불　시 방 세 계 소 유 제 풍　보 살　실 능 흡
又舍利弗이여 十方世界所有諸風을 菩薩이 悉能吸

착 구 중　이 신 불 손　외 제 수 목　역 불 최 절　우
着口中하되 而身不損하고 外諸樹木도 亦不摧折하며 又

시방세계겁진소시　이일체화　내어복중　　화사
十方世界劫盡燒時에 **以一切火**로 **內於腹中**하여 **火事**

여고　　이불위해　　우어하방　　과항하사등제불
如故하되 **而不爲害**하며 **又於下方**으로 **過恒河沙等諸佛**

세계　　취일불토　거착상방　과항하사무수세계
世界하야 **取一佛土**하야 **擧着上方**을 **過恒河沙無數世界**

　　여지침봉　　거일조엽이무소요
하되 **如持針鋒**하야 **擧一棗葉而無所嬈**니라

"또 사리불이여, 시방세계에 있는 모든 바람을 보살이 입속으로 다 빨아들여도 몸은 손상되지 않고 밖에 있는 온갖 나무들도 또한 꺾어지지 아니합니다. 또 시방세계가 겁劫이 다하여 불이 탈 때에 그 모든 불을 배 속에 집어넣어도 불은 그대로며 몸을 해치지도 아니합니다. 또 하방으로 항하강의 모래 수와 같은 세계를 지나서 한 나라를 취하여서 상방으로 항하강의 모래 수와 같은 세계를 지나가더라도 마치 바늘을 가지고 대추나무 잎을 하나 들어올리는 것과 같이 전혀 번거롭지 아니합니다."

불가사의 해탈에 대한 경전 내용을 액면 그대로 받아들이는 것은 경전의 특성을 이해하지 못한 소이所以다. 모든 이야기는 이미 존재하는 사실들을 다른 차원의 안목으로 관찰한 것이다. 사실대로 시방세계의 모든 바람을 빨아들여서 무엇을 할 것인가. 깨달은 사람의 안목에서 원융무애圓融無礙하고 사사무애事事無礙하고 융통자재融通自在한 도리를 이렇게 표현한 것일 뿐이다.

우사리불　　주불가사의해탈보살　능이신통
又舍利弗이여 住不可思議解脫菩薩은 能以神通으로

현작불신　　혹현벽지불신　　혹현성문신　　혹현
現作佛身하며 或現辟支佛身하며 或現聲聞身하며 或現

제석신　　혹현범왕신　　혹현세주신　　혹현전륜
帝釋身하며 或現梵王身하며 或現世主身하며 或現轉輪

성왕신
聖王身하며

"또 사리불이여, 불가사의 해탈에 머문 보살은 능히 신통으로 부처의 몸을 나타내며, 혹은 벽지불의 몸을 나타내며, 혹은 성문의 몸을 나타내며, 혹은 제석의 몸을 나타내며, 혹은 범왕의 몸을 나타내며, 혹은 세상 주인의 몸을 나타내며, 혹은 전

룬성왕의 몸을 나타냅니다."

그렇다. 제대로 된 사람은 자신을 생각하지 않고 언제나 상대의
처지에서 눈높이를 같이한다. 불가사의 해탈에 머문 보살은 자기
란 없다. 부처가 필요하면 부처가 되고 연각이 필요하면 연각이 되
고 성문이 필요하면 성문이 된다. 어찌 그와 같은 성인聖人의 모습
뿐이겠는가. 필요에 따라 지옥도 되고 아귀도 되고 아수라도 되고
축생도 된다. 그것이 보살다운 보살이다.

우 시 방 세 계　　소 유 중 성　　상 중 하 음　　개 능 변 지
又十方世界에 所有衆聲의 上中下音을 皆能變之하야

영 작 불 성　　연 출 무 상 고 공 무 아 지 음　　급 시 방 제 불
令作佛聲하야 演出無常苦空無我之音과 及十方諸佛

소 설 종 종 지 법　　개 어 기 중　　보 령 득 문　　사 리 불
所說種種之法하야 皆於其中에 普令得聞이니라 舍利弗

아 금 약 설 보 살　　불 가 사 의 해 탈 지 력　　약 광 설
이여 我今略說菩薩의 不可思議解脫之力이어니와 若廣說

자　　궁 겁 부 진
者인댄 **窮劫不盡**이니라

"또 시방세계에 있는 모든 소리의 상중하의 음성을 다 능히 분별하여 부처님의 소리를 만들어 무상과 고와 공과 무아의 소리와 시방의 모든 부처님이 설하시는 갖가지 법을 연출하여 다 그 가운데에서 널리 듣게 합니다. 사리불이여, 내가 지금 보살의 불가사의 해탈의 힘을 간략하게 설하였습니다. 만약 자세히 설한다면 겁이 다할 때까지 설해도 끝이 없습니다."

위에서는 인격으로서 여러 가지 모습으로 나타날 수 있는 아량을 밝혔다. 여러 가지의 인격이 될 수 있다는 것은 그들의 소리와 다양한 가르침을 다 들어 이해한다는 뜻이다. 불가사의 해탈에 머문 보살이 이와 같은 능력뿐이겠는가. 미래의 세상이 다할 때까지 설명하더라도 다하지 못한다.

4. 대가섭의 찬탄

시시   대가섭   문설보살불가사의해탈법문   탄
是時에 **大迦葉**이 **聞說菩薩不可思議解脫法門**하고 **歎**

미증유   위사리불   비여유인   어맹자전   현중
未曾有하야 **謂舍利弗**호대 **譬如有人**이 **於盲者前**에 **現衆**

색상   비피소견   일체성문   문시불가사의해
色像커든 **非彼所見**인댓하야 **一切聲聞**이 **聞是不可思議解**

탈법문   불능해료   위약차야
脫法門하고 **不能解了**도 **爲若此也**라

이때에 대가섭이 보살의 불가사의 해탈 법문 설하는 것을 듣고는 미증유라고 찬탄하고 사리불에게 말하였다.

"비유하자면 어떤 사람이 맹인 앞에서 여러 가지 색상을 나타내 보이지만 그 사람은 보지 못하는 것과 같이 일체 성문들도 이 불가사의 해탈 법문을 듣고 능히 알 수 없는 것도 이와 같습니다."

이 『유마경』은 소승적 인간과 소승적 견해를 고집하는 사람들을 철저하게 꾸짖고 배척하여 그들의 견해를 바로잡고자 하는 의도가 매우 강하게 나타나 있다. 단순히 배척하고 꾸짖는 것에 머물지 않고 그들의 마음을 열어 주려는 지극한 자비심이 잘 표현되어 있다. 소승성문들을 맹인에 비교한 말씀을 듣고 얼마나 가슴 아프고 슬프겠는가. 이는 역연逆緣, 즉 상대의 마음을 거스르면서 따끔한 교훈을 주는 방법이다. 듣는 순간은 마음이 상하지만, 언젠가는 마음이 돌아서서 열릴 때가 있을 것이기 때문이다.

지자 문시 기수불발아뇩다라삼먁삼보리심
智者가 聞是하고 其誰不發阿耨多羅三藐三菩提心이리요

아등 하위영단기근 어차대승 이여패종 일
我等은 何爲永斷其根하고 於此大乘에 已如敗種고 一

체 성문 문시불가사의해탈법문 개응호읍 성
切聲聞이 聞是不可思議解脫法門하면 皆應號泣하야 聲

진삼천대천세계 일체보살 응대흔경 정수차
震三千大千世界요 一切菩薩은 應大欣慶하야 頂受此

法하리니 若有菩薩이 信解不可思議解脫法門者는 一切

魔衆이 無如之何리라 大迦葉이 說此語時에 三萬二千

天子가 皆發阿耨多羅三藐三菩提心하니라

"지혜로운 사람이라면 이 법문을 듣고 그 누군들 아뇩다라 삼먁삼보리심을 발하지 못하겠는가마는 우리는 어찌하여 그 뿌리를 영원히 끊어 버리고 대승에 대하여는 이미 썩은 종자와 같습니까? 일체 성문이 이 불가사의 해탈 법문을 들으면 모두 목놓아 큰소리로 울어서 그 소리가 삼천대천세계를 진동할 것입니다. 그러나 일체 보살은 응당 크게 기뻐하여 이 법을 머리에 받아 가질 것입니다. 만약 어떤 보살이 불가사의 해탈 법문을 믿고 이해하는 사람에게는 일체 마군의 무리가 어떻게 하지 못할 것입니다."

대가섭이 이 말을 할 때에 3만2천 천자가 모두 아뇩다라삼먁삼보리심을 발하였다.

대가섭 존자는 선불교禪佛敎에서 초조初祖로서 가장 높이 존경하는 분이다. 부처님의 법을 염화미소拈花微笑에서 가섭 존자만이 홀로 깨달아서 정법안장正法眼藏을 전해 받았다고 생각하는 분이다. 물론 이 이야기는 『유마경』보다 훨씬 후대인 달마가 중국에 건너온 이후에 만들어진 말이지만 말이다. 그런데 자신과 함께 모든 소승 성문들은 썩은 종자와 같아서 대승보살의 높은 법문을 듣고는 천지가 진동하도록 대성통곡을 할 것이라고 하고 있다. 선불교의 초조 가섭 존자의 위신과 체면을 이렇게까지 망가뜨려 가면서 열린 견해와 대승보살의 삶을 권장하였다. 그래서 『유마경』을 대승불교운동의 선언서라고 하는 것이다. 보살대승불교는 소승불교는 물론이려니와 선불교까지도 뛰어넘는 가장 훌륭한 불교다.

5. 마왕魔王

이 시　유 마 힐　어 대 가 섭　　인 자　시 방 무 량 아 승
爾時에 維摩詰이 語大迦葉하되 仁者여 十方無量阿僧

지 세 계 중　작 마 왕 자　다 시 주 불 가 사 의 해 탈 보 살
祇世界中에 作魔王者는 多是住不可思議解脫菩薩이

이 방 편 력 고　교 화 중 생　　현 작 마 왕
以方便力故로 教化衆生코저 現作魔王이니라

그때에 유마힐이 대가섭에게 말하였다.

"인자여, 시방의 한량없는 아승지 세계 중에 마왕이 된 사람
은 대개 불가사의 해탈에 머문 보살입니다. 방편의 힘으로 중
생을 교화하려고 마왕이 된 것입니다."

우 가 섭　시 방 무 량 보 살　혹 유 인　종 걸 수 족 이
又迦葉이여 十方無量菩薩이 或有人에 從乞手足耳

비　두목수뇌　혈육피골　취락성읍　처자노비
鼻와 頭目髓腦와 血肉皮骨과 聚落城邑과 妻子奴婢와

상마거승　금은유리　자거마노산호호박　진주가
象馬車乘과 金銀瑠璃와 硨磲碼碯珊瑚琥珀과 眞珠珂

패　의복음식　　여차걸자　다시주불가사의해탈
貝와 衣服飮食이어던 如此乞者는 多是住不可思議解脫

보살　이방편력　　이왕시지　　영기견고
菩薩이 以方便力으로 而往試之하야 令其堅固니라

"또 가섭이여, 시방의 한량없는 보살들은 혹 어떤 사람이 손
이나 발이나 귀나 코나 머리나 눈이나 골수나 피나 살이나 피
부나 뼈나 마을이나 성읍이나 처자나 노비나 코끼리나 말이나
수레나 금이나 은이나 유리나 자거나 마노나 산호나 호박이나
진주나 가패나 의복이나 음식 등을 구걸하면 이처럼 구걸하는
사람은 대개 불가사의 해탈에 머문 보살입니다. 방편의 힘으
로 그에게 가서 시험하여 그를 견고하게 하려는 것입니다."

세상에는 거칠고 험한 사람들이 많다. 흉악하고 나쁜 사람들이
많다. 신문 지상이나 텔레비전의 뉴스를 보면 세상은 온통 악으로
넘쳐나는 것 같다. 지위가 높고 낮음을 막론하고, 지식이 있고 없

음을 막론하고, 재산이 많고 적음을 막론하고, 정치인이나 사업가
나 종교인이나 교육자나 농민이나 일용직이나 청소부나 모두가 부
정과 부패와 비리와 사기와 거짓으로 뒤범벅된 것 같다. 세상이 어
차피 이와 같다면 이와 같은 상황을 어떻게 이해하고 해석해야 할
것인가? 불교는 이와 같은 모습들을 마왕魔王이라고 한다. 그들은
마왕이 되어 중생을 성숙시키고 견고하게 하려고 시험하느라고 그
와 같은 악惡을 세상에 보인다고 이해하고 해석한다. 그렇게 해석
하지 아니하면 견디어 낼 수가 없다. 도저히 참을 길이 없다. 사람
들을 이 험한 세상에서 살아갈 수 있게 하려고 방편으로 더욱 견고
하고 성숙하게 하는 보살행이다. 사람을 핍박하는 것은 차원 높은
역행으로 보이는 보살행이다.

소 이 자 하　　주 불 가 사 의 해 탈 보 살　　유 위 덕 력
所以者何오 **住不可思議解脫菩薩**은 **有威德力**일새

고 행 핍 박　　시 제 중 생　　여 시 난 사　　범 부　　하 열
故行逼迫하야 **示諸衆生**의 **如是難事**라 **凡夫**는 **下劣**하야

무 유 역 세　　불 능 여 시 핍 박 보 살　　비 여 용 상 축 답
無有力勢하야 **不能如是逼迫菩薩**이니 **譬如龍象蹴踏**은

비 려 소 감　　시 명 주 불 가 사 의 해 탈 보 살　　지 혜 방 편
非驢所堪이라 **是名住不可思議解脫菩薩**의 **智慧方便**

지 문
之門이니라

"무슨 이유인가 하면 불가사의 해탈에 머문 보살은 위덕의 힘이 있기 때문에 짐짓 핍박을 행해서 여러 중생에게 이처럼 어려운 일을 보입니다. 범부는 하열하여 힘이 없으므로 능히 이처럼 보살을 핍박하지 못합니다. 비유하자면 용이나 코끼리처럼 차고 짓밟는 것을 당나귀는 견디어 내지 못하는 것과 같습니다. 이것이 이름이 불가사의 해탈에 머문 보살의 지혜와 방편의 문이라고 합니다."

나쁜 짓도 아무나 하지 못한다. 상당한 근기가 되어야 할 수 있다. 그들을 보살이라 이해하지 않으면 또 어떻게 이해하는 길이 있겠는가? 그늘에서 자란 풀은 연약해서 햇빛을 보면 자칫 말라 죽는다. 뜨거운 사막에서 자란 풀은 생명력이 강하다. 언뜻 보기에 말라 죽은 것 같지만, 당당히 살아 있다. 돌에 붙은 이끼도 그와 같다.

사람의 삶도 다를 바 없다. 열악한 환경은 그 열악한 조건이 사

람을 위한 또는 식물을 위한 강력한 에너지가 되기도 한다. 이것이
불가사의 해탈에 머문 보살의 지혜와 방편의 가르침이다.

七. 관중생품觀衆生品

「관중생품觀衆生品」에서 관중생觀衆生이란 중생이라는 실상을 진실하게 관찰한다는 의미이다. 중생의 실상은 중생이 곧 중생이 아니라 부처라고 보는 것이 가장 바르게 보는[正見] 안목이다. 그러나 여기에서는 내면에 연기로 보는 견해가 깔려 있어서 모두를 허망하고 공한 것이며 본래로 존재하지 않는 것으로 보는 내용이 주를 이루고 있다. 그 또한 일종의 중생을 보는 정견이기도 하지만 중생이라는 존재의 궁극을 보는 것이라고는 할 수 없다. 인불사상人佛思想을 주창하는 필자는 중생이 본래로 부처라고 보는 것이 중생에 대한 정견임을 밝혀 둔다.

1. 중생의 실상

이시　문수사리　문유마힐언　보살　운하관
爾時에 **文殊師利**가 **問維摩詰言**하되 **菩薩**이 **云何觀**

어중생　유마힐언　비여환사　견소환인
於衆生이니까 **維摩詰**이 **言**하되 **譬如幻師**가 **見所幻人**인듯

　보살　관중생　위약차
하야 **菩薩**의 **觀衆生**도 **爲若此**니다

그때에 문수사리가 유마힐에게 물었다.

"보살은 중생을 어떻게 관찰합니까?"

유마힐이 말하였다.

"비유하자면 마술을 하는 사람이 마술로 만든 사람을 보는 것과 같이 보살도 중생을 관찰하기를 이처럼 합니다."

중생이란 어떤 특정한 모습으로 존재하는 것이 아니다. 중생이라 하든 유정有情이라 하든 이름은 여러 가지지만 실재하는 것이

아니라 마치 마술을 하는 사람이 마술로 거짓 모습을 만들어 놓은 것과 같다. 불교는 중생이라는 문제에 크게 걸려 있다. 소승불교든 대승불교든 중생에 대한 의식은 거의 한결같다. 이『유마경』에서는 특별한 견해를 펼쳐 보여서 중생이라는 존재성을 확연하게 깨달아 알아서 수수 억년 동안 가슴속에 남아 있는 암과 같은 응어리를 씻어 제거하라는 가르침을 설하고 있다. 한마디로 표현하면 중생이란 본래로 존재하지 않는 것인데 공연히 헛것을 있는 것으로 착각한 것이라는 설법이다.

여지자 견수중월 여경중 견기면상 여열
如智者가 見水中月하며 如鏡中에 見其面像하며 如熱

시염 여호성향 여공중운 여수취말 여수
時燄하며 如呼聲響하며 如空中雲하며 如水聚沫하며 如水

상포 여파초견 여전구주
上泡하며 如芭蕉堅하며 如電久住하며

"지혜로운 사람은 물에 뜬 달과 같이 여기며, 거울 속의 얼굴을 보는 것과 같이 여기며, 더운 날 아지랑이와 같이 여기며, 소리를 질렀을 때의 메아리와 같이 여기며, 하늘에 떠 있는 구름과 같이 여기며, 물에 있는 물방울과 같이 여기며, 물 위의 거품과 같이 여기며, 파초의 견고함과 같이 여기며, 번갯불이 오래 머무름과 같이 여깁니다."

불교를 공부하는 사람들이 중생이라는 말에 너무나도 집착하고 있으므로 중생이라는 말의 실상을 꿰뚫어 알려 주는 갖가지 비유이다. 모두가 다만 말이 있을 뿐 실재하는 것이 아님을 깨달아 중생이라는 관념에서 어서 벗어나기를 바랄 뿐이다.

여 제 오 대   여 제 육 음   여 제 칠 정   여 십 삼 입
如第五大하며 如第六陰하며 如第七情하며 如十三入

여 십 구 계   보 살   관 중 생   위 약 차
하며 如十九界하나니 菩薩의 觀衆生도 爲若此며

"제5대와 같이 여기며, 제6음과 같이 여기며, 제7정과 같이 여기며, 13입과 같이 여기며, 19계와 같이 여깁니다. 보살이 중생을 관찰하는 것도 이와 같습니다."

4대는 있어도 5대는 없으며, 5음은 있어도 6음은 없으며, 6정은

있어도 7정은 없으며, 12입은 있어도 13입은 없으며, 18계는 있어
도 19계는 없다. 깨어 있는 보살은 위에서 든 비유와 함께 중생이
란 실재하지 않음을 이와 같이 관찰한다.

여무색계색　　여초곡아　　여수다원신견　　여
如無色界色하며 如燋穀芽하며 如須陀洹身見하며 如

아나함입태　　여아라한삼독　　여득인보살탐에훼
阿那含入胎하며 如阿羅漢三毒하며 如得忍菩薩貪恚毁

금　　여불번뇌습　　여맹자견색　　여입멸진정출
禁하며 如佛煩惱習하며 如盲者見色하며 如入滅盡定出

입식　　여공중조적　　여석녀아　　여화인번뇌
入息하며 如空中鳥跡하며 如石女兒하며 如化人煩惱하며

여몽소견이오　　여멸도자수신　　여무연지화
如夢所見已寤하며 如滅度者受身하며 如無煙之火하나니

보살　관중생　위약차
菩薩의 觀衆生도 爲若此니라

　"무색계의 색과 같이 여기며, 타 버린 곡식의 씨앗과 같이
여기며, 수다원의 자신에 대한 이해득실과 같이 여기며, 아나

함의 입태入胎와 같이 여기며, 아라한의 삼독과 같이 여기며, 깨달음을 얻은[得忍] 보살의 탐욕과 진에와 파계와 같이 여기며, 부처님의 번뇌 습기와 같이 여기며, 눈먼 사람이 사물을 보는 것과 같이 여기며, 멸진정滅盡定에 들어간 사람의 출식 입식과 같이 여기며, 허공에 날아간 새의 발자국과 같이 여기며, 석녀石女의 아이와 같이 여기며, 조화로 만든 사람의 번뇌와 같이 여기며, 꿈속에서 보던 것을 꿈을 깬 것과 같이 여기며, 열반에 든 사람이 몸을 받는 것과 같이 여기며, 연기가 없는 불과 같이 여깁니다. 보살이 중생을 관찰하는 것도 이와 같습니다."

열거한 비유들이 참으로 현란하다. 어찌하여 이와 같은 변재가 있을 수 있는가. 경문經文에서 들고 있는 여러 가지 예들은 한결같이 존재하지 않는 것들이다. 이름마저 없는 것들이다. 토끼의 뿔이요, 거북의 털이다. 중생이라고 잘못 알고 있는 것이 마치 길가의 새끼줄을 오인誤認하여 뱀으로 본 것과 같으며, 어두운 길을 가다가 비석을 오인하여 사람으로 잘못 보고 도망가다가 넘어지고 자빠져서 온갖 상처를 입는 것 같은 경우이다. 중생을 이처럼 관찰하면 이것은 참다운 관찰이다. 만약 이와 달리 관찰하면 그것은 삿된 관찰이다.

그렇다면 중생을 제도한다는 말은 무슨 뜻인가? 본래로 공적한 중생을 제도하는 것이다. 본래로 부처인 중생을 제도하는 것이다. 처음도 끝도 오직 사람이 있을 뿐이기 때문이다. 무엇을 하든, 어떤 지극한 수행을 하든, 중생을 제도하든, 성불하든, 모든 것이 마치 허공에 새가 날아간 자취와 같다. 가고 또 가도 본래의 그곳이며[行行本處], 도착하고 도착해도 처음 출발한 그곳[至至發處]이다. 피나는 고행과 어려운 수행이란 다만 그와 같은 삶의 한 태도일 뿐이다. 그와 같은 숭고한 삶이 또한 사람들을 크게 감동하게 하고 발심하게 한다.

2. 자비희사慈悲喜捨

문수사리언　　약보살　작시관자　운하행자
文殊師利言하사대 若菩薩이 作是觀者는 云何行慈닛까

유마힐　언　　보살　작시관이　　자념　　아당위
維摩詰이 言하사대 菩薩이 作是觀已코는 自念하되 我當爲

중생　　설여사법　시즉진실자야
衆生하야 說如斯法이 是卽眞實慈也라

문수사리가 말하였다.

"만약 보살이 이처럼 관찰하는 사람은 어떻게 사랑을 행합
니까?"

유마힐이 말하였다.

"보살이 이렇게 관찰하고 나서 스스로 생각하기를, '나는 마
땅히 중생을 위해서 이처럼 법을 설하리라.' 하면 이것이 곧 진
실한 사랑입니다."

아래에는 보살의 자비희사慈悲喜捨, 즉 네 가지 한량없는 마음에 대한 설법이다. 사랑[慈]에 대한 설법이 특히 많다. 보살이 중생을 위와 같이 관찰하고 나서 설하고자 하는 법은 어떤 것인가? 곧 위에서 중생을 관찰한 그와 같은 내용을 명백하게 설명하여 중생에 대한 오해가 없도록 한다는 뜻이다. 또한 중생에 대한 실상을 바르게 설법하여 가르친다는 것은 곧 진정한 사랑[慈]이 되기도 한다.

행적멸자 무소생고 행불열자 무번뇌고 행
行寂滅慈니 無所生故며 行不熱慈니 無煩惱故며 行

등지자 등삼세고 행무쟁자 무소기고 행불이
等之慈니 等三世故며 行無諍慈니 無所起故며 行不二

자 내외불합고 행불괴자 필경진고 행견고자
慈니 內外不合故며 行不壞慈니 畢竟盡故며 行堅固慈니

심무훼고 행청정자 제법성정고 행무변자 여
心無毀故며 行淸淨慈니 諸法性淨故며 行無邊慈니 如

허공고
虛空故며

"적멸한 사랑을 행함이니 생멸하는 것이 없기 때문입니다.

불타지 않는 사랑을 행함이니 번뇌가 없기 때문입니다. 평등한 사랑을 행함이니 삼세에 평등하기 때문입니다. 다툼이 없는 사랑을 행함이니 일어나는 바가 없기 때문입니다. 둘이 아닌 사랑을 행함이니 안과 밖이 합하지 않기 때문입니다. 무너지지 않는 사랑을 행함이니 끝까지 다하기 때문입니다. 견고한 사랑을 행함이니 마음에 상처가 없기 때문입니다. 청정한 사랑을 행함이니 모든 법의 성품이 청정하기 때문입니다. 가없는 사랑을 행함이니 허공과 같기 때문입니다."

사랑이란 문제도 사람 관계나 사물 관계나 어떤 지위나 일에서 일어나는 감정의 한 중요한 현상이다. 불교적 견해에서 볼 때 치우침이 없는 진정한 사랑과 대승보살의 사랑을 설하였다. 번뇌가 없으므로 불타지 않는 사랑이란 흔히 있는 세속적 이성 간의 사랑을 떠올리게 한다. 보통 이성 간의 사랑이란 불이 타듯 한다고 표현하는 것이 그것이다. 평등한 사랑이라는 것도 보살이라야 가능하다. 사람은 누구나 다 불평등한 사랑을 한다. 보통 사람이 어찌 평등한 사랑을 할 수 있으랴. 허공과 같은 끝없는 사랑을 행하는 일도 역시 평범한 인간으로서는 어려운 일이다.

행아라한자　파결적고　행보살자　안중생고
行阿羅漢慈니 破結賊故며 行菩薩慈니 安衆生故며

행여래자　득여상고　행불지자　각중생고
行如來慈니 得如相故며 行佛之慈니 覺衆生故며

"아라한의 사랑을 행함이니 번뇌의 도적을 깨뜨리기 때문입니다. 보살의 사랑을 행함이니 중생을 평안하게 하기 때문입니다. 여래의 사랑을 행함이니 여여如如한 모습을 얻기 때문입니다. 부처의 사랑을 행함이니 중생을 깨우치기 때문입니다."

대승보살의 사랑은 모든 사람의 근기에 낱낱이 다 맞출 수 있어야 한다는 뜻을 밝혔다. 아라한은 번뇌에 결박된 것을 깨뜨리는 것이 사랑이다. 보살은 중생을 편안하게 해 주는 것이 사랑이다. 여래는 진리라는 뜻이 많으므로 여여한 모습과 진여의 모습과 진리의 모습을 얻는 것이 사랑이다. 부처님의 사랑은 중생을 깨닫게 해 주는 것이다.

행자연자　무인득고　행보리자　등일미고　행
行自然慈니 無因得故며 行菩提慈니 等一味故며 行

무등자　단제애고　행대비자　도이대승고　행무
無等慈니 斷諸愛故며 行大悲慈니 導以大乘故며 行無

염자　관공무아고
厭慈니 觀空無我故며

"자연의 사랑을 행함이니 원인이 없이 얻기 때문입니다. 보
리의 사랑을 행함이니 평등한 일미이기 때문입니다. 같을 것
이 없는 사랑을 행함이니 모든 애착을 끊기 때문입니다. 크게
어여삐 여기는 사랑을 행함이니 대승으로 인도하기 때문입니
다. 싫어함이 없는 사랑을 행함이니 공空하여 아我가 없음을 관
찰하기 때문입니다."

대승보살의 사랑은 자연스럽다. 조건도 없고 이유도 없다. 보살
의 사랑은 깨달음[보리]에서 나온다. 그래서 평등한 일미一味다. 보
살의 사랑은 이 세상에서 제일이다. 인간적 애착이란 있을 수 없다.
보살의 사랑은 대승법大乘法으로 베푼다. 대승법이 결여된 사랑은
불교적 사랑이 아니다.

행 법 시 자　　무 유 석 고　　행 지 계 자　　화 훼 금 고　　행
行法施慈니 無遺惜故며 行持戒慈니 化毁禁故며 行

인 욕 자　　무 피 아 고　　행 정 진 자　　하 부 중 생 고　　행 선
忍辱慈니 無彼我故며 行精進慈니 荷負衆生故며 行禪

정 자　　불 수 미 고　　행 지 혜 자　　무 부 지 시 고
定慈니 不受味故며 行智慧慈니 無不知時故며

"법을 보시하는 사랑을 행함이니 아낌이 없기 때문입니다. 계를 가지는 사랑을 행함이니 파계한 사람을 교화하기 때문입니다. 인욕하는 사랑을 행함이니 서로가 없기 때문입니다. 정진하는 사랑을 행함이니 중생을 짊어지기 때문입니다. 선정의 사랑을 행함이니 맛을 받아들이지 않기 때문입니다. 지혜의 사랑을 행함이니 때를 알지 못함이 없기 때문입니다."

보살의 사랑은 법을 보시하는 사랑이어야 한다. 다른 물질을 보시하는 것은 법을 보시하려는 방편이다. 계율에 대해서는 계를 파한 사람을 교화하여야 하고 인욕은 서로가 없는 경지가 되어야 보살의 사랑이다. 보살이 정진은 왜 하는가. 오로지 중생을 짊어지고 저 언덕으로 가야 하기 때문이다. 이와 같이 육바라밀이 곧 사랑이 되고 사랑이 곧 육바라밀이 되어 불가불리의 관계가 될 때 보

살의 원만한 사랑이 된다.

행 방편자　일체시현고　행무은자　직심청정고
行方便慈니 一切示現故며 行無隱慈니 直心淸淨故며

행심심자　무잡행고　행무광자　불허가고　행안
行深心慈니 無雜行故며 行無誑慈니 不虛假故며 行安

락자　영득불락고　보살지자　위약차야
樂慈니 令得佛樂故라 菩薩之慈가 爲若此也니라

"방편의 사랑을 행함이니 일체를 나타내 보이기 때문입니다. 숨김이 없는 사랑을 행함이니 곧은 마음이 청정하기 때문입니다. 깊은 마음의 사랑을 행함이니 잡스러운 행이 없기 때문입니다. 거짓이 없는 사랑을 행함이니 헛되고 거짓되지 않기 때문입니다. 안락한 사랑을 행함이니 부처님의 즐거움을 얻게 하기 때문입니다. 보살의 사랑이 이와 같습니다."

방편의 사랑, 숨김이 없는 사랑, 깊은 마음의 사랑, 거짓이 없는 사랑, 안락한 사랑 등 보살의 사랑은 끝없이 깊고 한없이 높다. 여기까지 보살의 사무량심四無量心 중에서 사랑[慈]에 대하여 밝혔다.

문수사리가   우문   하위위비   답왈보살   소작
文殊師利가 又問하되 何謂爲悲닛까 答曰菩薩의 所作

공덕   개여일체중생공지   하위위희   답왈유소
功德을 皆與一切衆生共之니라 何謂爲喜닛까 答曰有所

요익   환희무회   하위위사   답왈소작복우   무
饒益이면 歡喜無悔니다 何謂爲捨닛까 答曰所作福祐에 無

소희망
所希望이니다

문수사리가 또 물었다.

"무엇이 슬퍼함[悲]이 됩니까?"

답하였다.

"보살이 지은 공덕을 일체중생에게 다 주어서 함께하게 하
는 것입니다."

"무엇이 기뻐함[喜]이 됩니까?"

답하였다.

"요익하는 바가 있으면 기뻐하여 뉘우침이 없음입니다."

"무엇이 평온함[捨]이 됩니까?"

답하였다.

"복을 지어도 바라는 바가 없음입니다."

사무량심 중에서 슬퍼함[悲]이란 중생의 고통을 보고 안타까워하는 마음이다. 슬퍼하고 연민스럽게 여기는 마음이다. 보살이 짓는 공덕은 모두 일체중생과 함께하기 위해서 닦은 것이기 때문에 불쌍한 중생이 있으면 그 공덕을 다 베풀어 준다. 다른 사람의 이익을 보고 진정으로 따라서 기뻐하는 마음은 보살의 사무량심 중에서 기뻐하는 마음[喜]이다. 사무량심 중에 평온함[捨]이란 좋은 일을 하고도 그 대가나 보상을 바라지 말아야 찾아오는 마음 상태다. 이처럼 중생의 실상을 바르게 관찰하면 보살은 사무량심이 자연스럽게 따라오는 것이다.

3. 무주無住

문수사리 우문　생사유외　보살　당하소의
文殊師利가 又問하되 生死有畏라 菩薩은 當何所依닛까

유마힐 언　보살　어생사외중　당의여래공덕지
維摩詰이 言하되 菩薩이 於生死畏中에 當依如來功德之

력
力이니다

문수사리가 또 물었다.

"생사는 두려운 것입니다. 보살은 마땅히 무엇을 의지해야
합니까?"

유마힐이 말하였다.

"보살은 생사의 두려움 속에서 마땅히 여래 공덕의 힘을 의
지해야 합니다."

인생은 외롭고 생사는 두려운 것이다. 삶과 죽음의 막다른 골목

에 접어든 사람은 진정으로 지푸라기라도 붙잡고 싶은 마음이다. 이러한 때에 불교를 믿고 불교를 공부한 사람은 어떤 태도여야 하는가. 외롭고 두려운 삶과 죽음의 막다른 골목에서는 달리 다른 길이 있을 수 없다. 오직 여래의 공덕의 힘에 의지하는 수밖에 다른 길은 없다. 여래의 공덕의 힘이란 무엇인가. 일심一心의 위대함이다. 약간의 방편을 이용하여 일심의 위대한 힘에 의지하여야 한다. 화엄성중에게 의지하고 관세음보살에게 의지하고 지장보살에게 의지하는 일도 역시 궁극적으로 보면 모두가 여래 공덕의 힘에 의지하는 것이다.

文殊師利가 又問하되 菩薩이 欲依如來功德之力인댄

當於何住오 答曰菩薩이 欲依如來功德力者는 當住度

脫一切衆生이니라

문수사리가 또 물었다.

"보살이 여래 공덕의 힘을 의지하고자 하면 마땅히 어디에 머물러야 합니까?"

답하였다.

"보살이 여래 공덕의 힘을 의지하려는 사람은 마땅히 일체중생을 제도하는 데 머물러야 합니다."

여래 공덕의 힘이란 여러 가지로 표현될 수 있겠으나 궁극적으로 일체중생을 제도하고자 하는 큰 원력이다. 만약 보살이 한순간이라도 일체중생을 제도하려는 마음이 없다면 보살이라고 할 수 없기 때문이다.

又問欲度衆生인댄 當何所除오 答曰欲度衆生인댄 除

其煩惱니다 又問欲除煩惱인댄 當何所行고 答曰當行正

念이니라

또 물었다.

"중생을 제도하고자 하면 마땅히 무엇을 제거해야 합니까?"

답하였다.

"중생을 제도하려면 번뇌를 제거해야 합니다."

또 물었다.

"번뇌를 제거하려면 마땅히 무엇을 행하여야 합니까?"

답하였다.

"마땅히 바른 생각을 행하여야 합니다."

여래 공덕의 힘을 의지한다는 것은 중생을 제도하기 위함이다. 또 중생을 제도하려면 번뇌를 제거해야 하고 번뇌를 제거하려면 바른 생각을 해야 한다. 바른 생각이란 '알아차림'이라 하여 위빠사나 수행의 중요한 한 부분이다.

우 문 운 하 행 어 정 념　　답 왈 당 행 불 생 불 멸　　　우 문
又問云何行於正念고 答曰當行不生不滅이니라 又問

하 법　불 생　　하 법　　불 멸　　답 왈 불 선　　불 생　　　선
何法이 不生이며 何法이 不滅고 答曰不善은 不生하고 善

법　 불 멸
法은 不滅이니라

또 물었다.

"어떻게 하여야 바른 생각을 합니까?"

답하였다.

"마땅히 불생불멸을 행하여야 합니다."

또 물었다.

"무슨 법이 불생이며 무슨 법이 불멸입니까?"

답하였다.

"선하지 않은 것은 불생이고 선한 법은 불멸입니다."

본문의 대화와는 약간의 거리가 있겠으나 선하지 않은 것은 언제 어디서나 절대로 생기지 않아야 하는 것이고, 선한 법은 언제 어디서나 영원히 없어지지 않아야 하는 것이다.

又問善不善은 孰爲本이니까 答曰身爲本이니다 又問身은

孰爲本고 答曰欲貪이 爲本이니다 又問欲貪은 孰爲本이니까

답 왈 허 망 분 별　위 본
答曰虛妄分別이 爲本이니다

또 물었다.

"선과 불선은 무엇이 근본이 됩니까?"

답하였다.

"몸이 근본이 됩니다."

또 물었다.

"몸은 무엇이 근본이 됩니까?"

답하였다.

"탐욕이 근본이 됩니다."

또 물었다.

"탐욕은 무엇이 근본이 됩니까?"

답하였다.

"허망한 분별이 근본이 됩니다."

　문수사리와 유마힐의 문답이 속도를 더하면서 숨 쉴 사이도 없이 이어진다. 삶과 죽음은 두려운 것이라는 문제에서부터 바른 생각, 불생불멸不生不滅, 인간의 육신, 탐욕, 허망한 분별까지 언급하였다.

우문허망분별　숙위본　답왈전도상　위본
又問虛妄分別은 孰爲本고 答曰顚倒想이 爲本이니다

우문전도상　숙위본　　답왈무주위본　　우문무
又問顚倒想은 孰爲本이니까 答曰無住爲本이니다 又問無

주　숙위본　　답왈무주즉무본　문수사리　종
住는 孰爲本이니까 答曰無住則無本이니 文殊師利여 從

무주본　　입일체법
無住本하야 立一切法이니라

또 물었다.

"허망한 분별은 무엇이 근본이 됩니까?"

답하였다.

"전도顚倒 망상이 근본이 됩니다."

또 물었다.

"전도 망상은 무엇이 근본이 됩니까?"

답하였다.

"무주無住가 근본이 됩니다."

또 물었다.

"무주는 무엇이 근본이 됩니까?"

답하였다.

"무주는 근본이 없습니다. 문수사리여, 무주라는 근본으로부터 일체법이 세워졌습니다."

계속하여 허망 분별에서 전도몽상顚倒夢想으로 나아가고 무주無住와 무본無本까지 거론하였다. 이 모든 것은 고리에 고리를 물고 일체가 연관 관계를 맺고 있다는 것을 밝혔는데 궁극에는 그 무엇이든 모두 변해 가고 흘러가서 한순간도 머물러 있지 않으며 근본도 없다. 머무름도 없고 근본도 없다면 결국은 무엇인가. 머무름도 없고 근본도 없다는 데서 일체법이 세워졌다면 그 일체법이란 또 무엇인가. 참으로 절묘한 지혜의 칼이다. 일단一斷에 일체단一切斷이다.

4. 천녀天女의 꽃

시유마힐실　유일천녀　견제대인　문소설법
時維摩詰室에 有一天女러니 見諸大人의 聞所說法하고

변현기신　즉이천화　산제보살대제자상　화지
便現其身하야 卽以天華로 散諸菩薩大弟子上하니 華至

제보살　즉개타락　지대제자　변착불타
諸菩薩하야는 卽皆墮落하되 至大弟子하야는 便着不墮라

일체제자　신력거화　불능영거
一切弟子가 神力去華하되 不能令去러니

　그때 유마힐의 방에 한 천녀가 있었다. 여러 큰 어른들의 설법하는 것을 듣고 곧 몸을 나타내어 하늘의 꽃으로 여러 보살과 큰 제자들 위에 흩었다. 꽃이 보살들에게 이르러서는 곧바로 다 떨어졌는데 큰 제자들에게 이르러서는 딱 붙어서 떨어지지 않았다. 일체 제자들이 신력으로 꽃을 제거해도 제거할 수 없었다.

『유마경』은 한 천녀天女를 등장시켜 보살의 무집착과 소승성문들의 집착심을 밝혔다. 그 천녀는 하늘의 꽃을 뿌려 보살과 부처님의 큰 제자들에게 흩날렸는데 보살들에게서는 꽃이 다 떨어지고 큰 제자들에게는 꽃이 붙어서 떨어지지 아니하였다. 아무리 힘을 다해 떨어뜨리려 하여도 되지 않았다. 곧 소승들의 집착심을 상징적으로 보여 준 것이다.

이시 천녀 문사리불 하고거화 답왈차화
爾時에 天女가 問舍利弗하되 何故去華오 答曰此華

불여법 시이거지 천녀 왈물위차화 위불
不如法일새 是以去之로다 天女가 曰勿謂此華하야 爲不

여법 소이자하 시화 무소분별 인자 자생
如法이니 所以者何오 是華는 無所分別이요 仁者의 自生

분별상이
分別想耳라

그때에 천녀가 사리불에게 물었다.

"무슨 까닭으로 꽃을 제거하려 합니까?"

답하였다.

"이 꽃은 여법하지 못해서 제거하려 합니다."

천녀가 말하였다.

"이 꽃을 가지고 여법하지 못하다고 하지 마십시오. 왜냐하면 이 꽃은 분별하는 바가 없습니다. 스님이 스스로 분별하는 생각을 내었을 뿐입니다."

약어불법출가 유소분별 위불여법 약무
若於佛法出家하야 **有所分別**이면 **爲不如法**이요 **若無**

소분별 시즉여법 관제보살 화불착자 이단
所分別이면 **是則如法**이니 **觀諸菩薩**의 **華不着者**는 **已斷**

일체분별상고
一切分別想故라

"만약 불법에 출가하여 분별하는 바가 있으면 그것이 여법하지 못한 것이 됩니다. 만약 분별하는 바가 없으면 이것이 여법한 것입니다. 살펴보니 모든 보살에게 꽃이 붙지 않은 것은 이미 일체의 분별하는 생각을 다 끊었기 때문입니다."

비 여 인 외 시　비 인　득 기 편　여 시　제 자　외
譬如人畏時에 非人이 得其便인듯 如是하야 弟子는 畏

생 사 고　색 성 향 미 촉　득 기 편 야　이 이 외 자　일 체
生死故로 色聲香味觸이 得其便也요 已離畏者는 一切

오 욕　무 능 위 야　결 습 미 진　화 착 신 이　결 습 진
五欲이 無能爲也라 結習未盡일새 華着身耳요 結習盡

자　화 불 착 야
者는 華不着也니라

"비유하자면 사람이 두려워할 때에 사람 아닌 것이 있어서 그 편의를 얻은 것과 같습니다. 이처럼 제자들은 생사를 두려워한 까닭에 색성향미촉이 그 편의를 얻은 것입니다. 이미 두려움을 떠난 사람은 일체의 오욕五欲이 능히 어찌하지 못합니다. 온갖 번뇌[結習]가 다하지 못하면 꽃이 몸에 붙을 것이고 온갖 번뇌가 다하면 꽃이 몸에 붙지 않습니다."

지혜로운 사람은 마음을 다스리고 어리석은 사람은 경계를 탓한다. 사리불은 몸에 붙은 꽃을 뜯어내려고 하다가 천녀天女로부터 큰 법문을 듣게 된다. "만약 불법佛法에 출가하여 분별하는 바가 있으면 그것이 여법하지 못한 것이 됩니다. 만약 분별하는 바가 없

으면 이것이 여법한 것입니다." 이 얼마나 근사한 법문인가. 또한 "번뇌[結習]가 다하지 못하면 꽃이 몸에 붙을 것이고, 번뇌가 다하면 꽃이 몸에 붙지 않습니다."라고 하였다. 집착과 편견에 사로잡혀 살아가는 소승성문들을 크게 꾸짖고 있는 내용이다.

5. 해탈解脫

사리불이 言하되 天止此室이 其已久如아 答曰我止此
室이 如耆年解脫이니라 舍利弗이 言止此久耶아 天이 曰
耆年解脫이 亦何如久오 舍利弗이 黙然不答하니 天이 曰
如何耆舊로 大智而黙고 答曰解脫者는 無所言說故로
吾於是에 不知所云이로다

사리불이 말하였다.

"천녀가 이 방에 머무른 것이 얼마나 됩니까?"

답하였다.

"제가 이 방에 머무른 것은 노인네의 해탈과 같습니다."

사리불이 말하였다.

"여기에 머문 것이 오래입니까?"

천녀가 말하였다.

"노인네의 해탈이 또한 얼마나 오래입니까?"

사리불이 묵묵히 답이 없으니 천녀가 말하였다.

"어떻게 늙으시고 큰 지혜를 지닌 이로서 묵묵합니까?"

답하였다.

"해탈이란 말로써 표현할 수 없으므로 나는 해탈에 대해서 말할 줄을 모릅니다."

사리불은 부처님의 제자 중에서 지혜가 가장 뛰어난 이다. 이理와 사事에 밝아서 부처님의 오른팔과 같은 상수제자上首弟子다. 그런데 천녀와의 대화에서 경계에 집착하고 물든 소승성문으로 취급받는다.

다시 해탈이라는 문제에 대해 논의하는데 아예 해탈에 대해서 말할 줄을 모른다고 천녀에게 손을 드는 광경이다. 틱낫한 스님은 이와 같은 문제 때문에 『유마경』을 싫어하였는지도 모른다.

천 왈언설문자 개해탈상 소이자하 해탈자
天이 曰言說文字가 皆解脫相이니 所以者何오 解脫者

불 내불외 부재양간 문자 역불내불외
는 不內不外하며 不在兩間이어든 文字도 亦不內不外하며

부재양간 시고 사리불 무이문자 설해탈
不在兩間이라 是故로 舍利弗이여 無離文字하고 說解脫

야 소이자하 일체제법 시해탈상
也니 所以者何오 一切諸法이 是解脫相이니라

천녀가 말하였다.

"언설과 문자가 다 해탈의 모습입니다. 왜냐하면 해탈이란
안[內]도 아니고 밖도 아니며 두 사이에도 있지 않습니다. 문자
도 또한 안도 아니고 밖도 아니며 두 사이에도 있지 않습니다.
그러므로 사리불이여, 문자를 떠나서 해탈을 설함도 아닙니다.
왜냐하면 일체 모든 법이 해탈의 모습입니다."

일반 불교에서와 같이 사리불도 해탈이라는 것을 대단한 경지로
오인하고 있는데 천녀는 일체 모든 법이 모두 해탈의 모습이라고
한다. 궁극적 명품대승불교는 해탈뿐만 아니라 그 어떤 높은 경지
라 하더라도 지금 현재 존재하는 이대로의 현상에서 떠나 있지 않

음을 가르친다.

사 리 불 　 언 　　불 부 이 리 음 　노 　치 　위 해 탈 호
舍利弗이 **言**하되 **不復以離婬·怒·癡**로 **爲解脫乎**아

천 　 왈 불 위 증 상 만 인 　　설 리 음 　노 　치 　　위 해 탈 이
天이 **曰佛爲增上慢人**하야 **說離婬·怒·癡**로 **爲解脫耳**

약 무 증 상 만 자 　불 설 음 　노 　치 성 　　즉 시 해 탈
어니와 **若無增上慢者**면 **佛說婬·怒·癡性**이 **卽是解脫**이니라

사리불이 말하였다.

"음행과 분노와 어리석음을 떠나지 않은 것으로써 해탈을 삼
습니까?"

천녀가 말하였다.

"부처님은 아만이 높은 사람을 위하여 음행과 분노와 어리
석음을 떠난 것을 해탈이라고 설할 뿐입니다. 만약 아만이 없
는 사람이라면 부처님은 음행과 분노와 어리석음의 본성이 곧
해탈이라고 설합니다."

드디어 "음행과 분노와 어리석음의 본성이 곧 해탈이다[婬怒癡性 卽

관중생품觀衆生品　**175**

是解脫].”라는 유명한 명언이 등장하였다. 부처님은 잘난 체하고 아만이 많은 사람을 제도하기 위해서 음행과 분노와 어리석음을 떠난 것이 해탈이라고 말했을 뿐이라고 한다. “탐욕이 즉시 도다.”라고 한 『제법무행경諸法無行經』의 말씀과 같다. 이와 같은 경지를 어찌 일반 불교나 소승성문들이 알 수 있겠는가.

舍利弗이 言호대 善哉善哉라 天女여 汝何所得이며 以

何爲證이관대 辯乃如是오 天이 曰我는 無得無證일새 故

辯如是니 所以者何오 若有得有證者인댄 則於佛法에 爲

增上慢이니라

사리불이 말하였다.

“훌륭합니다. 훌륭합니다. 천녀여, 그대는 무엇을 얻었으며 무엇으로 깨달음을 삼기에 그 변재가 이와 같습니까?”

천녀가 말하였다.

"저는 얻음도 없고 깨달음도 없습니다. 그러므로 변재가 이와 같습니다. 왜냐하면 만약 얻음이 있고 깨달음이 있는 사람은 곧 불법에 대하여 아만이 높은 사람입니다."

천녀는 깨달아도 깨달은 상相이 없고 얻어도 얻은 상이 없는 무소득無所得의 이치를 설명하고 있다. 조금 얻은 것이나 조금 아는 것으로 잘난 체하고 아는 체하고 얻은 체하는 사람으로서는 가까이할 수 없는 경지다.

6. 삼승三乘

사 리 불　문 천　　여 어 삼 승　위 하 지 구　천　왈 이
舍利弗이 問天하되 汝於三乘에 爲何志求오 天이 曰以

성 문 법　　화 중 생 고　아 위 성 문　　이 인 연 법　　화
聲聞法으로 化衆生故로 我爲聲聞이요 以因緣法으로 化

중 생 고　아 위 벽 지 불　　이 대 비 법　　화 중 생 고　아
衆生故로 我爲辟支佛이요 以大悲法으로 化衆生故로 我

위 대 승
爲大乘이니라

사리불이 천녀에게 물었다.

"그대는 삼승에서 무엇을 구합니까?"

천녀가 말하였다.

"성문법으로써 중생을 교화하기 때문에 저는 성문이 됩니다.
인연법으로써 중생을 교화하기 때문에 저는 벽지불이 됩니다.
대비법으로써 중생을 교화하기 때문에 저는 대승이 됩니다."

여기에서도 사리불은 사람이 꼭 어떤 한 가지 현상에 치우치고 국한되어 있는 것으로 생각하고 자신이 잘 아는 삼승법三乘法에서 천녀는 무엇을 구하는가라고 물었는데 천녀는 어디에도 치우치거나 국한되지 않고 제도해야 할 대상을 따라 무엇이든 가능하다고 하였다.

舍利弗이여 如人이 入瞻蔔林커든 唯齅瞻蔔이요 不齅餘
香이니 如是하야 若入此室이면 但聞佛功德之香하고 不聞
聲聞·辟支佛의 功德香也니라

"사리불이여, 어떤 사람이 첨복림瞻蔔林에 들어가면 오직 첨복의 향기만 맡게 되고 다른 향기는 맡지 아니합니다. 그와 같이 만약 이 방에 들어오면 다만 부처님의 공덕의 향기만 맡고 성문이나 벽지불의 공덕의 향은 맡지 아니합니다."

불교라는 큰 바다에 수많은 사람이 드나든다. 그러나 불자라면 오직 불교, 즉 부처님의 가르침에 대한 향기를 맡아야 하겠지만, 사람의 근기와 욕망과 성격에 따라 갖가지 향기를 만들어 자신이 좋아하는 향기를 맡고 간다. 즉 각자의 집에서 만든 불교의 보자기를 가지고 절에 와서 자기만의 불교를 하다가 다시 들고 가는 격이다. 인간사가 아무리 어렵고 힘들더라도 부처님의 뜻이 어디에 있는가를 좀 생각하고 불교를 믿어야 할 것이다.

사리불   기유석범사천왕   제천룡귀신등   입
舍利弗이여 其有釋梵四天王과 諸天龍鬼神等이 入

차실자   문사상인   강설정법   개락불공덕지향
此室者는 聞斯上人의 講說正法하고 皆樂佛功德之香

발심이출   사리불   오지차실   십유이년
하야 發心而出하나니 舍利弗이여 吾止此室이 十有二年이로대

초불문설성문   벽지불법   단문보살대자대비불
初不聞說聲聞·辟支佛法하고 但聞菩薩大慈大悲不

가사의제불지법
可思議諸佛之法이니라

"사리불이여, 제석과 범천과 사천왕과 여러 천신과 용과 귀

신들이 이 방에 들어오면 여기에 계시는 상인上人이 강설하는 정법을 듣고 모두 부처님의 공덕의 향을 좋아하여 발심하고 나갑니다. 사리불이여, 제가 이 방에 머무른 지가 12년입니다. 그러나 처음부터 성문과 벽지불의 법은 듣지 못하고 다만 보살의 대자대비와 불가사의한 모든 부처님의 법만 들었습니다."

『유마경』은 가장 우수한 대승불교를 선양하기 위한 대승불교운동의 선언서다. 그러므로 유마힐 거사의 방이란 곧 대승불교를 뜻한다. 천녀가 12년간 유마힐의 방에 있었다고 한 것은 아함부 경전을 12년간 설했다는 대승불교 교판敎判의 관점에서 상징적으로 표현한 숫자이리라.

불교는 언제나 부처님의 가르침인데 수준과 근기에 따라서 달리 보고 달리 받아들이기 때문에 삼승三乘의 차별이 있게 된 것이다. 그러나 처음부터 불교를 바르게 깨달은 사람[천녀]에게는 언제나 보살의 대자대비와 부처님의 법만 들린다는 뜻이리라. 이와 같은 사실은 오늘날의 불교에서도 다 같이 적용된다.

7. 팔미증유법八未曾有法

사리불이여 此室에 常現八未曾有難得之法하니 何等
이 爲八고 此室은 常以金色光照로 晝夜無異하고 不以日
月所照로 爲明하니 是爲一未曾有難得之法이요

"사리불이여, 이 방에는 항상 여덟 가지의 미증유하며 얻기
어려운 법이 나타납니다. 무엇이 여덟 가지입니까? 이 방은
항상 금빛 광명으로 비춰서 주야가 다르지 않습니다. 그래서
해와 달의 빛으로 밝음을 삼지 아니합니다. 이것이 첫째 미증
유하여 얻기 어려운 법입니다."

천녀는 다시 사리불에게 유마힐의 방에 여덟 가지 미증유한 법이
있다고 설명한다. 승속을 초월한 대승불교·대중불교·인간불교·

인간보살불교에 눈을 뜨고 보면 낱낱이 미증유한 일로 넘쳐난다는 뜻이다. 깨어 있는 사람에게는 밤과 낮이 없이 항상 금빛으로 빛나고 있다. 지혜의 빛이 어찌 그림자가 있는 해와 달의 빛과 같겠는가.

차 실 입 자　불 위 제 구 지 소 뇌 야　시 위 이 미 증 유 난
此室入者는 不爲諸垢之所惱也니 是爲二未曾有難

득 지 법
得之法이요

"이 방에 들어오는 사람은 온갖 번뇌의 괴롭힌 바가 되지 아니합니다. 이것이 둘째 미증유하여 얻기 어려운 법입니다."

정법正法의 방, 밝은 눈을 가진 사람 유마힐의 방에 들어오면 마음의 더러움이 있을 수 없다. 마음에 더러움이 없으므로 괴로움이 있을 수 없다.

차실　상유석범사천왕　타방보살　내회부절
此室은 常有釋梵四天王과 他方菩薩이 來會不絶하니

시위삼미증유난득지법
是爲三未曾有難得之法이요

"이 방에는 항상 제석과 범천과 사천왕과 타방他方의 보살들
이 끊임없이 모여 옵니다. 이것이 셋째 미증유하여 얻기 어려
운 법입니다."

　바른 이치를 깨달아 열려 있는 마음으로 살아가는 사람에게는
항상 각양각색의 사람들이 넘쳐난다. 어린 아기에서부터 노인에 이
르기까지, 부목負木이나 공양주에서부터 학자나 예술가나 정치인
에 이르기까지 모두 다 볼 일이 있다. 뵙고 싶은 볼 일이다. 묻고
싶은 것이 있다.

　차실　상설육바라밀불퇴전법　　시위사미증유
此室은 常說六波羅蜜不退轉法하니 是爲四未曾有

난득지법
難得之法이요

"이 방에는 항상 육바라밀과 퇴전하지 않는 법을 설합니다. 이것이 넷째 미증유하여 얻기 어려운 법입니다."

바르고 참된 이치를 알고 살아가는 사람은 언제나 바른 이치와 참다운 이치를 말한다. 공덕이 되고 희망과 꿈이 되는 이야기만 한다. 절망적이거나 부정적인 말은 있을 수 없다. 그래서 대승보살불교의 기본 덕목인 육바라밀을 항상 설하며 앞으로 앞으로 나아가기만 하는 불퇴전의 법을 항상 설한다고 한다.

차실 상작천인제일지악 현출무량법화지성
此室은 常作天人第一之樂하야 絃出無量法化之聲

시위오미증유난득지법
하니 是爲五未曾有難得之法이요

"이 방에는 항상 천상 사람들의 제일가는 음악을 지어서 한량없는 법으로 교화하는 소리를 연주합니다. 이것이 다섯째 미증유하여 얻기 어려운 법입니다."

천상과 인간에서 제일가는 음악, 한량없는 진리의 가르침으로 사람을 교화하는 설법의 소리가 그 어떤 음악보다도 기쁘고 즐거운 것이다.

차실 유사대장 중보적만 주궁제핍 구
此室은 **有四大藏**하되 **衆寶積滿**이라 **周窮濟乏**하야 **求**

득무진 시위육미증유난득지법
得無盡하니 **是爲六未曾有難得之法**이요

"이 방에는 네 개의 큰 창고가 있는데 여러 가지 보물이 가득하여 가난한 사람들을 두루 다 구제하여 다함이 없습니다. 이것이 여섯째 미증유하여 얻기 어려운 법입니다."

네 개의 큰 창고란 사섭법四攝法을 말한다. 보시와 좋은 말과 다른 사람에게 이로운 행동과 함께 같은 일을 하는 것이다. 이 사섭법이 가득하여 누구에게나 마음으로나 물질로나 넉넉하게 베풀어 줄 수 있는 곳이 대승법大乘法으로 살아가는 유마힐의 방이다.

차실　석가모니불　아미타불　아축불　보덕보
此室은 釋迦牟尼佛과 阿彌陀佛과 阿閦佛과 寶德寶

염　　보월보엄　　난승사자향　　일체이성　여시등시
燄과 寶月寶嚴과 難勝獅子響과 一切利成인 如是等十

방무량제불　시상인염시　즉개위래　　광설제불
方無量諸佛이 是上人念時에 卽皆爲來하야 廣說諸佛

비요법장　　설이환거　　시위칠미증유난득지
祕要法藏하시고 說已還去하시니 是爲七未曾有難得之

법
法이요

　"이 방에는 석가모니 부처님과 아미타 부처님과 아축 부처
님과 보덕 부처님과 보염 부처님과 보월 부처님과 보엄 부처
님과 난승 부처님과 사자향 부처님과 일체이성 부처님 등 이
와 같은 시방의 한량없는 부처님이 유마힐 거사[上人]가 생각만
하면 곧 다 오시어 모든 부처님의 비밀스럽고 요긴한 법장을
널리 설하십니다. 설하고 나서는 다시 돌아가십니다. 이것이
일곱째 미증유하여 얻기 어려운 법입니다."

　유마힐의 방에는 유마힐이 생각하는 대로 모든 부처님이 다 오

신다. 오셔서 모든 부처님의 법을 설하신다. 깨달은 사람의 삶은 언제나 부처의 삶이기 때문에 부처로 현신하고 부처로 설법한다.

차실　일체제천　엄식궁전　제불정토　개어중
此室은 一切諸天의 嚴飾宮殿과 諸佛淨土가 皆於中

현　시위팔미증유난득지법　수유견사부사의
現하나니 是爲八未曾有難得之法이라 誰有見斯不思議

사　이부락어성문법호
事하고 而復樂於聲聞法乎아

"이 방에는 일체 모든 하늘의 장엄한 궁전과 모든 부처님의 정토가 다 그 가운데 나타납니다. 이것이 여덟째 미증유하여 얻기 어려운 법입니다. 누군들 이와 같은 불가사의한 일을 보고 다시 또 성문의 법을 좋아하는 사람이 있겠습니까?"

유마힐의 방은 곧 이 세상 전부다. 동서가 10만이고 남북이 8천이다. 사성四聖과 육범六凡이 모두 다 있다. 용과 뱀이 뒤섞여 있고 범부凡夫와 성인聖人이 동참하여 있다. 깨달은 사람의 마음의 방은 수용하지 못할 것이 없다. 열린 눈을 가진 사람의 희유하여 얻기 어려운 점이 이와 같다. 어찌 편협한 안목을 가진 성문들의 법을 좋아하겠는가.

8. 일체법의 실상

舍利弗이 言하되 汝何以不轉女身고 天이 曰我從十二

年來로 求女人相하되 了不可得이니 當何所轉가 譬如幻

師가 化作幻女어든 若有人이 問何以不轉女身고하면 是

人이 爲正問不아 舍利弗이 言不也라 幻無定相이니 當何

所轉가 天이 曰一切諸法도 亦復如是하야 無有定相이어늘

云何乃問不轉女身고

사리불이 말하였다.

"그대는 왜 여자의 몸을 바꾸지 않습니까?"

천녀가 말하였다.

"나는 12년 동안 여인의 모습을 구하였으나 끝내 얻지 못하였으니 마땅히 어떻게 바꾸겠습니까? 비유하자면 마치 마술을 하는 사람이 허깨비 여자를 만들었다고 할 때 그때 만약 어떤 사람이 묻기를 왜 여자의 몸을 바꾸지 않는가라고 한다면 이 사람은 바르게 물은 것이 되겠습니까?"

사리불이 말하였다.

"아닙니다. 허깨비는 고정된 모양이 없는데 왜 바꿔야 하겠습니까?"

천녀가 말하였다.

"일체 모든 법도 또한 그와 같아서 고정된 모양이 없는데 무엇 때문에 여자의 몸을 바꾸지 않는다고 묻습니까?"

사리불은 아마도 천녀가 여자의 모습으로 보이는 것이 마음에 걸렸던 모양이다. 출가수행자라는 딱지가 아직 덜 떨어져서 세속적인 안목에 매여 있는 소승들의 집착을 깨뜨려 주는 설법이다. 남녀의 상相이나 승속僧俗의 상이란 것이 모두가 환영과 같은 것이다. 아니, '범소유상凡所有相이 개시허망皆是虛妄'이라 하지 않던가. 유마힐의 방에 들어왔으면 최소한 남녀의 차별상은 떠나야 한다.

즉시　천녀　이신통력　변사리불　영여천녀
卽時에 **天女**가 **以神通力**으로 **變舍利弗**하야 **令如天女**

천자화신　여사리불이문언　하이부전여신
하고 **天自化身**하야 **如舍利弗而問言**하되 **何以不轉女身**고

사리불　이천녀상이답언　아금부지하전이변위
舍利弗이 **以天女像而答言**하되 **我今不知何轉而變爲**

여신　천　왈사리불　약능전차여신　즉일체
女身호라 **天**이 **曰舍利弗**이여 **若能轉此女身**하면 **則一切**

여인　역당능전　여사리불　비녀이현여신
女人도 **亦當能轉**이니 **如舍利弗**이 **非女而現女身**인듯하여

일체여인　역부여시　수현여신　이비녀야　시
一切女人도 **亦復如是**라 **雖現女身**이나 **而非女也**니 **是**

고　불설일체제법　비남비녀
故로 **佛說一切諸法**이 **非男非女**니라

　그때에 천녀가 신통력으로 사리불을 변화시켜 천녀와 같게

하고 천녀는 스스로 몸을 변화시켜 사리불과 같게 하고 나서

물었다.

　"왜 여자의 몸을 바꾸지 않습니까?"

　사리불이 천녀의 모양으로써 대답하였다.

"나는 지금 어찌하여 여자의 몸으로 변하였는지를 알지 못합니다."

천녀가 말하였다.

"사리불이여, 만약 이 여자의 몸을 바꿀 수 있으면 일체 여인들도 또한 바꿀 수 있을 것입니다. 마치 사리불이 여자가 아니면서 여자의 몸을 나타냈듯이 일체 여인들도 또한 다시 이처럼 비록 여자의 몸을 나타냈으나 여자가 아닙니다. 그러므로 부처님이 일체의 모든 법은 남자도 아니고 여자도 아니라고 설하셨습니다."

즉시 천녀 환섭신력 사리불신 환복여고
卽時에 天女가 還攝神力하니 舍利弗身도 還復如故라

천 문사리불 여신색상 금하소재 사리불 언
天이 問舍利弗하되 女身色相이 今何所在오 舍利弗이 言

여신색상 무재무부재 천 왈일체제법 역
하되 女身色相이 無在無不在니라 天이 曰一切諸法도 亦

부여시 무재무부재 부무재무부재자 불소설
復如是하야 無在無不在니 夫無在無不在者가 佛所說

야
也니라

　그때에 천녀가 다시 신통력을 거두어들이니 사리불의 몸도
예전처럼 회복하였다.

　천녀가 사리불에게 물었다.

"여자의 몸은 지금 어디에 있습니까?"

　사리불이 말하였다.

"여자의 몸은 있음도 없고 있지 않음도 없습니다."

　천녀가 말하였다.

"일체 제법도 또한 다시 이와 같아서 있음도 없고 있지 않음
도 없으니, 대저 있음도 없고 있지 않음도 없는 것이 부처님이
설하신 바입니다."

　천녀는 신통이 뛰어나서 사리불을 마음대로 여자의 몸으로 변화
시켰다. 또 자신의 몸도 사리불의 몸으로 변화시켰다. 모두가 장
난이며 환영과 같다는 것을 보여 주고 일체법一切法은 고정된 그 무
엇이 아니라는 점을 밝힌 것이다. 즉 모든 법은 남자는 남자가 아
니라 그 이름이 남자며, 여자는 여자가 아니라 그 이름이 여자라는
것이다. 일체 모든 상相을 떠난 것이 곧 일체법이다.

9. 중생의 생사

<ruby>舍利弗<rt>사리불</rt></ruby>이 <ruby>問天<rt>문천</rt></ruby>하되 <ruby>汝於此沒<rt>여어차몰</rt></ruby>이면 <ruby>當生何所<rt>당생하소</rt></ruby>오 <ruby>天<rt>천</rt></ruby>이 <ruby>曰<rt>왈</rt></ruby>

<ruby>佛化所生<rt>불화소생</rt></ruby>으로 <ruby>吾如彼生<rt>오여피생</rt></ruby>하나이다 <ruby>曰佛化所生<rt>왈불화소생</rt></ruby>은 <ruby>非沒生也<rt>비몰생야</rt></ruby>

나라 <ruby>天<rt>천</rt></ruby>이 <ruby>曰衆生<rt>왈중생</rt></ruby>도 <ruby>猶然<rt>유연</rt></ruby>하야 <ruby>無沒生也<rt>무몰생야</rt></ruby>나라

사리불이 천녀에게 물었다.

"그대가 여기에서 죽으면 마땅히 어느 곳에 태어납니까?"

천녀가 말하였다.

"부처님의 교화로 태어났습니다. 나도 그와 같이 태어납니다."

사리불이 말하였다.

"부처님의 교화로 태어나는 것은 죽거나 태어남이 아닙니다."

천녀가 말하였다.

"중생도 오히려 그러해서 죽거나 태어남이 아닙니다."

사람은 누구나 본래로 삶과 죽음이 없다. 삶과 죽음이 없는 가운데서 환영으로 삶과 죽음을 받는 것을 볼 뿐이다. 없는 듯이 있는 천녀야 말해 무엇하겠는가. 삶과 죽음이 있는 가운데 삶과 죽음이 없는 이치를 밝힌 것이다.

10. 보리의 무소득無所得

舍利弗이 問天하되 汝久如에 當得阿耨多羅三藐三菩

提아 天이 曰如舍利弗이 還爲凡夫라사 我乃得成阿耨

多羅三藐三菩提니라 舍利弗이 言我作凡夫는 無有是

處니라 天이 曰我得阿耨多羅三藐三菩提도 亦無是處

니 所以者何오 菩提는 無住處일새 是故로 無有得者니라

사리불이 천녀에게 물었다.

"그대는 얼마 뒤에 아뇩다라삼먁삼보리를 얻게 됩니까?"

천녀가 말하였다.

"가령 사리불이 다시 범부가 되어야 내가 이에 아뇩다라삼먁삼보리를 얻을 수 있습니다."

사리불이 말하였다.

"내가 범부가 되는 일은 있을 수 없습니다."

천녀가 말하였다.

"내가 아뇩다라삼먁삼보리를 얻는 것도 또한 있을 수 없는 일입니다. 왜냐하면 보리는 머무는 곳이 없습니다. 그러므로 얻을 수 없습니다."

아뇩다라삼먁삼보리란 최상의 깨달음이다. 최상의 깨달음은 사람마다 구원 겁劫 이전부터 본래로 가지고 있다. 본래로 가지고 있는 본각本覺이며 본성불本成佛이라면 언제쯤 깨닫겠느냐고 묻는 것은 소승적 어리석음이다. 그러므로 본각은 머무는 곳도 없거니와 얻을 것도 아니다.

사 리 불　언 금 제 불　득 아 뇩 다 라 삼 먁 삼 보 리　　이
舍利弗이 言今諸佛이 得阿耨多羅三藐三菩提하며 已

득 당 득　여 항 하 사　개 위 하 호　천　왈 개 이 세 속 문
得當得도 如恒河沙는 皆謂何乎아 天이 曰皆以世俗文

자수고　설유삼세　　비위보리　유거래금
字數故로 **說有三世**언정 **非謂菩提**가 **有去來今**이니다

사리불이 말하였다.

"지금 모든 부처님이 아뇩다라삼먁삼보리를 얻으며 이미 얻
었으며 앞으로 얻을 것도 항하강의 모래 수와 같다는 것은 다
무엇을 이르는 것입니까?"

천녀가 말하였다.

"모두가 세속의 문자인 숫자를 사용하여 삼세가 있음을 말
한 것뿐입니다. 보리가 과거와 미래와 현재가 있다고 말한 것
은 아닙니다."

　최상의 깨달음인 본각이며 본래성불本來成佛은 경전상에서 낮은
근기의 중생을 가르치기 위해서 편의상 이름을 지어 부르는 것일
뿐 실재하는 것은 아니다. 본래로 법계에 고르게 널리 가득 차 있
는 것이다. 그래서 과거니 현재니 미래니 하는 것은 세속적 관점에
서 하는 표현이다.

천 왈 사 리 불　　여 득 아 라 한 도 야　　왈 무 소 득 고
天이 曰舍利弗이여 汝得阿羅漢道耶아 曰無所得故

이 득　　　　천　　왈 제 불 보 살　　역 부 여 시　　무 소 득 고
而得이니라 天이 曰諸佛菩薩도 亦復如是하야 無所得故

이 득
而得이니라

천녀가 말하였다.

"사리불이여, 그대는 아라한의 도를 얻었습니까?"

사리불이 말하였다.

"얻을 바가 없으므로 얻었습니다."

천녀가 말하였다.

"모든 부처님과 보살들도 또한 그와 같아서 얻을 바가 없는 까닭에 얻었습니다."

얻을 것이 없다[無所得]는 말은 불교에서 가장 중요한 용어다. 그래서 『반야심경』의 핵심도 무소득無所得이다. 수다원이나 사다함이나 아나함이나 아라한이나 보살의 경지나 부처의 경지나 어떤 실다운 법이 있어서 얻는 것은 아니다. 처음도 끝도 오직 본래 그대로의 차별 없는 참사람이 있을 뿐이다. 그러므로 인불사상人佛思想

을 주창하는 것이다.

爾時_에 維摩詰_이 語舍利弗_{하되} 是天女_는 已曾供養

九十二億諸佛_{하며} 已能遊戱菩薩神通_{하며} 所願_이 具足

_{하고} 得無生忍_{하야} 住不退轉_{이언마는} 以本願故_로 隨意能

現_{하야} 敎化衆生_{하나니라}

그때에 유마힐이 사리불에게 말하였다.

"이 천녀는 이미 일찍이 92억 부처님에게 공양하였으며, 이미 능히 보살의 신통에 노닐며, 원하는 바가 구족하고, 생멸이 없는 진리를 얻어서 물러서지 않는 경지에 머물지만, 본래의 서원 때문에 마음대로 능히 나타나서 중생을 교화하는 것입니다."

유마힐이 드디어 그동안 곤혹을 치르며 온갖 수모를 겪은 사리불에게 천녀天女의 경력을 설명하였다. 어쩌면 천녀라는 이름으로 유마힐 자신이 깨달아 얻은 수행 이력을 다 토로하고 있는 것인지 도 모른다. 경전의 설법이란 누구의 이름으로 무슨 말을 하든지 그 것은 상관없다. 실재한 인물이든 가공의 인물이든, 실재한 사건이 든 꾸며낸 사건이든 그것도 역시 아무런 관계가 없다. 다만 그들의 가르침 속에서 독자가 불법佛法의 이치를 알고 깨닫기만 하면 되는 것이다. 설사 실재했던 사건이나 말이라 하더라도 그것에서 아무 런 가르침도, 깨달음도, 교훈도 없다면 그것은 무의미한 것이다.

八. 불도품佛道品

불도佛道란 불법佛法이며 불교佛敎다. 불교는 사람들의 갖가지 근기와 수준에 맞게 가르치기 때문에 그 수준에 따르는 내용도 가지가지가 있다. 그것을 흔히 팔만사천 근기에 팔만사천 법문이라고 한다. 『유마경』에서는 대승보살로서의 불교를 밝혔는데 간단히 설명하면 양변에 치우치지 않으면서 양변을 다 수용하는 중도적 삶을 드러낸 것이라고 할 수 있다.

1. 불도佛道와 비도非道

이 시 문 수 사 리 문 유 마 힐 언 보 살 운 하 통
爾時에 文殊師利가 問維摩詰言하되 菩薩이 云何通

달 불 도 유 마 힐 언 약 보 살 행 어 비 도 시
達佛道니까 維摩詰이 言하되 若菩薩이 行於非道라사 是

위 통 달 불 도
爲通達佛道니다

그때에 문수사리가 유마힐에게 물었다.

"보살이 불도佛道를 어떻게 통달합니까?"

유마힐이 말하였다.

"만약 보살이 비도非道를 행하면 이것이 불도를 통달하는 것
입니다."

불도佛道와 비도非道는 어떤 차이가 있을까? 『금강경』에는 일체법
이 모두 불법佛法이라고 하였다. 문수사리는 유마힐에게 법을 질문

하는 처지이기 때문에 보살이 불도를 통달하는 길을 물었다. 유마거사는 상식을 넘어서 비도를 행해야 불도를 통달한다고 하였다. 그러나 비도는 비도가 아니라 최상의 불도다.

우문 운하보살 행어비도 답왈약보살 행오
又問 云何菩薩이 **行於非道**니까 **答曰若菩薩**이 **行五**

무간 이무뇌에 지어지옥 무제죄구 지어
無間하되 **而無惱恚**하며 **至於地獄**하되 **無諸罪垢**하며 **至於**

축생 무유무명교만등과 지어아귀 이구족
畜生하되 **無有無明憍慢等過**하며 **至於餓鬼**하되 **而具足**

공덕 행색무색계도 불이위승
功德하며 **行色無色界道**하되 **不以爲勝**하며

문수사리가 또 물었다.

"보살이 어떻게 비도를 행합니까?"

유마힐이 답하였다.

"만약 보살이 오무간지옥에 갈 일을 행하더라도 괴로워하거나 성내는 일이 없으며, 지옥에 가도 죄가 없으며, 축생에 가도 무명과 교만 등과 같은 허물이 없으며, 아귀에 가도 공덕을

구족하며, 색계와 무색계의 길을 행해도 수승하다고 여기지 아니합니다."

비도非道를 행하는 법을 밝혔다. 무간지옥에 갈 일을 하더라도 괴로워하거나 성내는 일이 없는 것 등은 불도 중에서 가장 높은 최상의 불도佛道다. 그에게는 이미 지옥도 아귀도 축생도 아니며 천상세계도 이미 천상세계가 아니다. 그래야 불도를 통달할 수 있다는 것을 밝혔다.

시행탐욕　　이제염착　　시행진에　　어제중생
示行貪欲하되 離諸染着하며 示行瞋恚하되 於諸衆生

무유에애　　시행우치　　이이지혜　　조복기심
에 無有恚礙하며 示行愚癡하되 而以智慧로 調伏其心하며

"탐욕을 보이더라도 물들고 집착함을 떠나며, 진에를 보이더라도 모든 중생에게 성내는 장애가 없으며, 어리석음을 보이더라도 지혜로써 그 마음을 조복합니다."

시행간탐
示行慳貪_{하되} 이사내외소유
而捨內外所有_{하야} 불석신명
不惜身命_{하며} 시행
示行

훼금
毀禁_{하되} 이안주정계
而安住淨戒_{하야} 내지소죄
乃至小罪_{라도} 유회대구
猶懷大懼_{하며} 시
示

행진에
行瞋恚_{하되} 이상자인
而常慈忍_{하며}

"간탐을 보이더라도 안팎의 소유를 버려서 몸과 목숨을 아끼지 아니하며, 파계를 보이더라도 청정한 계율에 안주하여 작은 죄라도 오히려 큰 두려움을 품으며, 진에를 보이더라도 항상 자비롭게 인욕합니다."

불도를 통달하려면 삼독三毒은 이미 삼독이 아니어야 한다. 어떤 대상에 탐욕하는 것처럼 보이나 결코 물들거나 집착하지 않는다. 성내는 것처럼 보이나 결코 중생에게 성내는 장애가 없다. 어리석은 듯하나 지혜로써 그 마음을 항복받는다. 이처럼 일체 명제에 대해서 그 이름에 걸리지 않고 자유자재하며 통달무애通達無礙하다. 보살이 불도를 통달하는 일은 이와 같다.

시 행 해 태　　이 근 수 공 덕　　시 행 난 의　　이 상 염
示行懈怠하되 而勤修功德하며 示行亂意하되 而常念

정　　시 행 우 치　　이 통 달 세 간 출 세 간 혜　　시 행 첨
定하며 示行愚癡하되 而通達世間出世間慧하며 示行諂

위　　이 선 방 편　　수 제 경 의　　시 행 교 만　　이 어 중
僞하되 而善方便으로 隨諸經義하며 示行憍慢하되 而於衆

생　　유 여 교 량　　시 행 제 번 뇌　　이 심 상 청 정
生에 猶如橋梁하며 示行諸煩惱하되 而心常淸淨하며

"게으름을 보이더라도 공덕을 부지런히 닦으며, 뜻이 어지러
움을 보이더라도 항상 선정을 생각하며, 어리석음을 보이더라
도 세간과 출세간의 지혜를 통달하며, 아첨과 거짓을 보이더
라도 훌륭한 방편으로 모든 경전의 뜻을 따르며, 교만을 보이
더라도 오히려 중생을 저 언덕에 이르게 해 주는 교량과 같이
하며, 온갖 번뇌를 보이더라도 마음은 항상 청정합니다."

　게으른 것 같으나 한편 부지런히 공덕을 닦는다. 번뇌가 들끓는
듯하나 마음은 항상 청정하여 텅 비어 있다. 이처럼 보살은 일체의
생활이 평범한 중생과 같은 듯하나 그 내용은 전혀 다르다. 밖으
로는 범부의 행을 하나 안으로는 훌륭한 보살이다. 그러므로 보

살이 불법을 통달한다고 하는 것이다.

　　시입어마　　　이순불지혜　　　불수타교　　　시입성
　　示入於魔하되 而順佛智慧하고 不隨他教하며 示入聲

　문　　　이위중생　　　설미문법　　　시입벽지불　　　이
　聞하되 而爲衆生하야 說未聞法하며 示入辟支佛하되 而

　　성취대비　　　교화중생　　　시입빈궁　　　이유보수
　成就大悲하야 敎化衆生하며 示入貧窮하되 而有寶手하야

　　공덕　　무진　　　시입형잔　　　이구제호상　　　이자장
　功德이 無盡하며 示入形殘하되 而具諸好相하야 以自莊

　엄　　　시입하천　　　이생불종성중　　　구제공덕
　嚴하며 示入下賤하되 而生佛種性中하야 具諸功德하며

"마군에 들어감을 보이더라도 부처의 지혜를 수순하고 다른 가르침을 따르지 아니하며, 성문에 들어감을 보이더라도 중생을 위하여 듣지 못한 법문을 설하며, 벽지불에 들어감을 보이더라도 큰 자비를 성취해서 중생을 교화하며, 빈궁한 곳에 들어감을 보이더라도 보배로운 손이 있어서 공덕이 다함없으며, 장애인 속에 들어감을 보이더라도 여러 가지 훌륭한 형상을 구

족해서 스스로 장엄하며, 하천下賤한 데 들어감을 보이더라도 부처님의 종성種性 중에 태어나서 여러 가지 공덕을 갖춥니다."

　마군에 들어가도 부처의 지혜를 수순한다. 사람이 살다 보면 온 갖 곳에 가게 되고 온갖 사람들을 만나게 된다. 그렇더라도 자신의 불교적 안목과 소신을 견지해서 자신이 해야 할 일을 반드시 해야 한다. 성문에 들어가고 연각에 들어가고 빈궁한 곳에 들어가고 장애인 속에 들어가고 하천한 사람들에게 들어간다는 것도 같은 경우이다.

示入羸劣醜陋하되 而得那羅延身하야 一切衆生之所

樂見하며 示入老病하되 而永斷病根하고 超越死畏하며 示

有資生하되 而恒觀無常하야 實無所貪하며 示有妻妾婇

女하되 而常遠離五欲淤泥하며

"여위고 용렬하고 추하고 미천한 데 들어감을 보이더라도 나라연의 몸을 얻어서 일체중생이 보기 좋아하는 바가 되며, 늙고 병든 곳에 들어감을 보이더라도 영원히 병의 근본을 끊고 죽음의 두려움을 초월하며, 생활을 돕는 직업이 있음을 보이더라도 항상 무상함을 관찰해서 진실로 탐하는 바가 없으며, 아내와 첩과 채녀가 있음을 보이더라도 항상 오욕의 진흙탕을 멀리 떠납니다."

사람이 일생을 사는 동안 어린 시절부터 늙어 죽을 때까지 도대체 몇 가지의 모습으로 변하면서 살까? 아마 수천 수만 가지의 모습을 나타내면서 살 것이다. 보살도 또한 그와 같이 무수한 모습을 나타내면서 살아가되 그 모습에 이끌리거나 물들지 아니하고, 언제나 중생을 이익하게 하고 제도하려는 데 중심을 두고 있다. 밖으로 나타난 모습은 결코 보살의 실제 모습이 아니다.

현 어 눌 둔　　이 성 취 변 재　　총 지 무 실　　시 입 사
現於訥鈍하되 **而成就辯才**하야 **總持無失**하며 **示入邪**

제　　이이정제　　도제중생　　현변입제도　　이단
濟하여 而以正濟하야 度諸衆生하며 現遍入諸道하되 而斷

기인연　　현어열반　　이부단생사　　문수사리　보
其因緣하며 現於涅槃하되 而不斷生死니라 文殊師利여 菩

살　능여시행어비도　　시위통달불도
薩이 能如是行於非道라사 是爲通達佛道니라

"어눌하고 둔함을 나타내더라도 변재를 성취해서 다 기억하여 잊어버리지 아니하며, 삿된 가르침[濟]에 들어감을 보이더라도 바른 가르침으로써 모든 중생을 제도하며, 여러 가지 다른 도에 두루 들어감을 보이더라도 그 인연을 끊으며, 열반을 나타내더라도 생사를 끊지 아니합니다. 문수사리여, 보살이 능히 이처럼 비도非道를 행해야 이것이 불도를 통달한 것입니다."

보살은 어눌하고 둔하게 보이나 결코 어눌하거나 둔하지 아니하며 삿된 가르침에 들어가더라도 결코 삿되지 아니하며, 심지어 열반을 증득하여 나타내더라도 생사를 영원히 끊지 아니하고 중생들의 생사와 함께한다. 이것이 보살이 불도佛道를 통달한 것이다.

2. 여래의 종자

어시 유마힐 문문수사리 하등 위여래종
於是에 維摩詰이 問文殊師利호대 何等이 爲如來種이

문수사리언 유신위종 무명유애위종 탐
니까 文殊師利言하되 有身爲種이며 無明有愛爲種이며 貪

에 치위종 사전도위종 오개위종 육입위종
恚癡爲種이며 四顚倒爲種이며 五蓋爲種이며 六入爲種

칠식처위종 팔사법위종 구뇌처위종 십
이며 七識處爲種이며 八邪法爲種이며 九惱處爲種이며 十

불선도위종 이요언지 육십이견 급일체번뇌
不善道爲種이니 以要言之컨댄 六十二見과 及一切煩惱

개시불종
가 皆是佛種이니라

이에 유마힐이 문수사리에게 물었다.

"무엇이 여래의 종자[근본]입니까?"

문수사리가 말하였다.

"신체가 있음이 종자가 되며, 무명과 생존에 대한 집착[有愛]이 종자가 되며, 탐욕과 진에와 어리석음이 종자가 되며, 네가지 전도顚倒가 종자가 되며, 다섯 가지 번뇌가 종자가 되며, 육입이 종자가 되며, 일곱 가지 마음가짐[七識處]이 종자가 되며, 여덟 가지 삿된 법이 종자가 되며, 아홉 가지 괴로운 것이 종자가 되며, 열 가지 선하지 아니한 길이 종자가 됩니다. 요점을 들어 말하자면 62종의 사견과 일체 번뇌가 다 부처의 종자가 됩니다."

이제는 유마 거사가 문수사리에게 여래의 종자와 여래의 근본을 물었다. 문수보살답게 일반적인 수준이 낮은 불교의 가르침과는 정반대의 내용을 말한다. 모두가 일반 불교에서는 버리고 제거하고 끊어서 없애야 하는 악과 번뇌와 삿된 견해들이다.

왈 하 위 야　　답 왈 약 견 무 위　　입 정 위 자　　불 능 부
日何謂也니까 **答日若見無爲**하야 **入正位者**는 **不能復**

발아녹다라삼먁삼보리심   비여고원육지   불생
發阿耨多羅三藐三菩提心하나니 譬如高原陸地에 不生

연화   비습어니   내생차화   여시   견무위법
蓮華하고 卑濕淤泥에 乃生此華라 如是하야 見無爲法하고

입정위자   종불부능생어불법   번뇌니중   내유
入正位者는 終不復能生於佛法하고 煩惱泥中에 乃有

중생   기불법이
衆生하야 起佛法耳니라

유마 거사가 다시 물었다.

"왜 그렇습니까?"

문수사리가 답하였다.

"만약 무위를 보아서 바른 지위에 들어간 사람은 다시는 아
뇩다라삼먁삼보리심을 발하지 아니합니다. 비유하자면 마치
높은 언덕과 육지에는 연꽃이 나지 아니하고 낮고 습한 진흙
에 이 연꽃이 나는 것과 같습니다. 이처럼 무위법을 보고 바른
지위에 들어간 사람은 마침내 다시는 불법 중에 태어나지 아
니하고 번뇌의 진흙 속에 중생이 있으므로 그곳에서 불법을 일
으킬 뿐입니다."

이 대목에서 만고萬古에 유명한, "고원육지 불생연화 비습어니 내생차화高原陸地 不生蓮花 卑濕淤泥 乃生此華"라는 명언이 등장하였다. 앞에서 온갖 번뇌와 삿된 견해가 모두 여래의 종자라고 하니 유마 거사도 놀라고 의아하여 그 까닭을 물었다. 여래의 종자란 달리 표현하면 불교佛教며 불법佛法이다. 곧 연꽃의 비유로써 답을 하였는데 연꽃의 특성을 여러 가지로 표현하지만, 그중에서 처염상정處染常淨이라는 내용으로 설명하였다. 연꽃은 결코 높은 언덕이나 육지나 잘 다듬어진 화단에는 피지 않는다. 낮은 곳, 더러운 곳, 습한 곳, 진흙탕에서 핀다. 불법은 온갖 번뇌와 악惡과 부정과 부패와 시비와 갈등과 고통과 어려움과 아픔 가운데서 꽃을 피운다. 그와 같은 곳에 불법이 필요하다. 여래는 세상이 그와 같은 것으로 가득하므로 오신 것이며 연꽃과 같은 가르침을 펼쳐 보이신 것이다. 그러므로 경전에서 "이처럼 무위법을 보고 바른 지위에 들어간 사람은 마침내 다시는 불법 중에 태어나지 아니하고 중생이 머무는 번뇌의 진흙 속에서 불법을 일으킬 뿐입니다."라고 한 것이다.

우여식종어공   종불능생   분양지지   내능자
又如植種於空하면 終不能生이나 糞壤之地에 乃能滋

茂_{하나니} 如是_{하야} 入無爲正位者_는 不生佛法_{이어니와} 起於

我見_을 如須彌山_{이라도} 猶能發於阿耨多羅三藐三菩提

心_{하야} 生佛法矣_라 是故_로 當知一切煩惱_가 爲如來種_{이니}

"또한 마치 종자를 허공에다 심으면 마침내 나지 아니하지만, 퇴비와 흙이 있는 땅에서는 능히 무성하게 되는 것과 같습니다. 이처럼 무위의 바른 지위에 들어간 사람은 불법을 일으키지 아니하지만, 아견을 수미산처럼 높이 일으키는 사람은 오히려 능히 아뇩다라삼먁삼보리심을 발해서 불법을 일으킵니다. 그러므로 마땅히 일체 번뇌가 여래의 종자가 되는 줄 알아야 합니다."

譬如不下巨海_면 不能得無價寶珠_{인듯하야} 如是_{하야} 不

入煩惱大海_면 則不能得一切智寶_{니라}

"비유하자면 마치 큰 바다에 들어가지 아니하면 능히 무가보주無價寶珠를 얻을 수 없는 것과 같이 이처럼 번뇌의 큰 바다에 들어가지 아니하면 곧 일체 지혜의 보물을 얻을 수 없습니다."

두 가지 비유를 더 들었다. 식물의 종자를 퇴비나 흙에 심어야 무성하게 자란다는 것과 번뇌의 큰 바다에 들어가야 일체 지혜의 보물을 능히 얻을 수 있다는 것이다. 일일이 명언이다. 사람에게는 번뇌가 있고 세상에는 악이 있기 때문에 여래가 있고 불교가 필요하다. 천하에 불교를 공부하고 불교를 믿는 사람들은 이러한 가르침을 명심하여 신행 생활을 바르게 해야 할 것이다.

3. 대가섭의 찬탄

이시 대가섭 탄언선재선재 문수사리 쾌설
爾時에 大迦葉이 歎言善哉善哉라 文殊師利여 快說

차어 성여소언 진로지주 위여래종 아
此語하시니 誠如所言하야 塵勞之儔가 爲如來種이어늘 我

등 금자 불부감임발아뇩다라삼먁삼보리심
等은 今者에 不復堪任發阿耨多羅三藐三菩提心이니다

내지오무간죄 유능발의 생어불법 이금
乃至五無間罪라도 猶能發意하야 生於佛法이어늘 而今

아등 영불능발 비여근패지사 기어오욕 불
我等은 永不能發하니 譬如根敗之士는 其於五欲에 不

능복리 여시 성문 제결단자 어불법중
能復利하나이다 如是하야 聲聞의 諸結斷者는 於佛法中에

무유부익 영부지원
無有復益일새 永不志願하나이다

그때에 대가섭이 찬탄하여 말하였다.

"훌륭하고 훌륭합니다. 문수사리여, 이러한 말씀을 시원하게 설하시니 진실로 말씀하신 바와 같아서 진로번뇌의 벗이 여래의 종자가 됩니다. 우리는 지금 더는 아뇩다라삼먁삼보리심을 발할 수가 없습니다. 오무간지옥에 떨어질 죄를 지었다 하더라도 오히려 능히 뜻을 내어 불법을 일으키는데 지금 저희는 영원히 보리심을 일으킬 수 없습니다. 비유하자면 마치 장애인이 된 사람이 오욕락에 다시는 이로움을 회복할 수 없는 것과 같습니다. 이처럼 모든 결박을 끊은 성문은 불법 가운데서 더는 이익이 없고 영원히 뜻과 원력이 없습니다."

시고　문수사리　범부　어불법　유반복이성문
是故로 **文殊師利**여 **凡夫**는 **於佛法**에 **有反復而聲聞**은

무야　소이자하　범부　문불법　능기무상도심
無也니 **所以者何**오 **凡夫**는 **聞佛法**하고 **能起無上道心**하야

부단삼보　정사성문　종신　문불법력무외등
不斷三寶어니와 **正使聲聞**은 **終身**토록 **聞佛法力無畏等**

영 불 능 발 무 상 도 의
하야도 **永不能發無上道意**니라

"그러므로 문수사리여, 범부는 불법에 회복할 수 있으나 성문은 없습니다. 왜냐하면 범부는 불법을 듣고 능히 최상의 도에 대한 마음을 일으켜서 삼보를 끊지 아니하지만, 성문은 종신토록 불법의 힘과 두려움 없음을 들어도 영원히 최상의 도에 대한 뜻을 일으키지 못합니다."

불교는 참다운 이치를 모르는 어리석은 사람들에게 어떻게 해서라도 인생과 세상의 바르고 참된 이치를 깨우쳐서 평화롭고 행복하게 살도록 하는 가르침이다. 이『유마경』은 그와 같은 불교를 공부하노라고 하면서 엉뚱하게도 길을 잘못 들어 존재의 참된 이치를 모르고 치우치고 편벽된 좁은 소견에 사로잡혀서 오히려 불교를 아예 공부하지 않은 사람보다도 더 잘못된 길을 가고 있는 소승적 삶을 사는 사람들을 철저하게 깨우쳐서 바른길을 가도록 인도하는 지극한 가르침이다.

그 지독한 말씀은 독약과도 같으며 큰 수술과도 같으며 암을 소멸시키는 항암제와도 같다. 잘못된 견해에 사로잡힌 소승들에 대한 연민스러운 마음과 불쌍히 여기는 마음과 안타까워하는 보살의 큰 자비심을 이해하기에 충분하다 하겠다. 소승성문의 대표 격인 대가섭 존자의 입을 통해서 스스로 토로하는 형식을 취하고 있는데 선불교에서 대가섭이 어떤 존재인가를 비교하면서 생각한다면 야기될 문제가 매우 많을 것이다.

4. 유마힐의 게송

1) 유마힐의 게송 1

이시회중 유보살 명 보현색신 문유마힐
爾時會中에 **有菩薩**하니 **名**은 **普現色身**이라 **問維摩詰**

언 거사 부모처자 친척권속 이민지식 실위
言하되 **居士**여 **父母妻子**와 **親戚眷屬**과 **吏民知識**이 **悉爲**

시수 노비동복 상마거승 개하소재 어시
是誰며 **奴婢僮僕**과 **象馬車乘**은 **皆何所在**이니까 **於是**에

유마힐 이게답왈
維摩詰이 **以偈答曰**

그때에 법회 가운데 보살이 있었는데 이름은 보현색신이었다.

유마힐에게 물었다.

"거사여, 부모와 처자와 친척과 권속과 벼슬아치와 백성과

도반[知識]들은 다 누구누구며, 노비와 동복과 코끼리와 말과

수레들은 모두 어디에 있습니까?"

이에 유마힐이 게송으로 답하였다.

보현색신普現色身이라는 보살의 입을 통해서 유마 거사의 부모와 처자와 친척과 권속과 벼슬아치와 백성과 도반[知識]들은 다 누구누구며, 노비와 동복과 코끼리와 말과 수레들에 대해서 물었다. 유마 거사는 처자 권속과 일상생활의 교화 방편敎化方便을 노래로 밝혔는데 이 게송도 불교의 명언으로서 많은 사람의 입에 널리 오르내리게 된다.

유마 거사는 단순한 유마 거사 한 사람만을 지칭하는 것은 아닐 것이다. 세상 사람 모두가 유마 거사의 처지에서, 또는 불법의 입장에서 아래의 게송을 받아들인다면 더욱 유익할 것이다. 유마 거사의 불교란 곧 대승불교며, 보살불교며, 대중불교며, 이상적인 사람의 인생이기 때문이다.

지 도 보 살 모　　　방 편 이 위 부
智度菩薩母요　　方便以爲父니

일 체 중 도 사 　　　무 불 유 시 생
一切衆導師가　　無不由是生이라

지혜는 보살의 어머니요

방편은 아버지입니다.

일체 모든 부처님[導師]은

다 이로 말미암아 출생합니다.

불교는 부처님이 깨달음을 성취하시고 그 깨달음의 내용을 만천하에 가르치는 것으로부터 출발한다. 그와 같은 부처님과 부처님의 가르침은 모두가 지혜와 방편이라는 것을 통해서 성취된 것이다. 보현색신 보살이 유마 거사의 부모를 물었는데 불교의 부모, 부처님의 부모로서 답하였다.

법 희 이 위 처 　　　자 비 심 위 녀
法喜以爲妻하고　　慈悲心爲女하며

선 심 성 실 남 　　　필 경 공 적 사
善心誠實男으로　　畢竟空寂舍에

법희선열法喜禪悅은 아내가 되고

자비심은 딸이 됩니다.
선한 마음과 성실함은 아들이며
마침내 공적함은 나의 집입니다.

세상 사람들은 아내를 왜 두는가? 아들딸 낳아서 기쁘고 즐겁게 살기 위해서다. 유마 거사는 세상에 살되 세상 사람들과는 달리 법희선열로써 아내를 삼고 중생을 향한 자비심은 딸이고, 선한 마음과 성실한 마음은 아들이며, 텅 비어 공적한 경지는 그가 사는 집이라고 하였다.

제 자 중 진 로   　수 의 지 소 전
弟子衆塵勞가　**隨意之所轉**하야

도 품 선 지 식　　유 시 성 정 각
道品善知識이　**由是成正覺**하며

온갖 진로번뇌인 제자들이
마음 가는 대로 따라옵니다.
37조도품이 선지식이 되니
이로 말미암아 정각을 이룹니다.

절 집안의 속설에 상좌上佐가 하나면 지옥이 하나라는 말이 있다. 제자나 자식이나 사람의 인연이란 언제나 좋은 것만은 아니다. 그야말로 진로번뇌塵勞煩惱다. 그런데 유마 거사의 제자는 진로번뇌지만, 그 진로번뇌가 마음 가는 대로 따라온다. 자식이나 상좌들이 모두 그렇게만 된다면 무엇이 걱정이겠는가. 그에 더하여 37조도품이 모두 나의 선지식이 되니 정각을 이루는 것은 어려울 것이 없으리라.

제 도 법 등 려　　　사 섭 위 기 녀
諸度法等侶와　　　**四攝爲妓女**로

가 영 송 법 언　　　이 차 위 음 악
歌詠誦法言하야　　　**以此爲音樂**하며

모든 바라밀은 친구가 되고
사섭법은 기녀가 되어
노래로 법문을 읊으니
이것으로 음악을 삼습니다.

보시와 지계와 인욕과 정진과 선정과 지혜는 늘 함께하는 친구

가 되고, 또한 보시섭布施攝과 애어섭愛語攝과 이행섭利行攝과 동사섭
同事攝은 기녀가 되니 그 즐거움이 오죽하겠는가. 더하여 법문을
노래로 지어 부르는 삶이 유마 거사의 일상이다.

　　총 지 지 원 원　　　　무 루 법 임 수
　　總持之園苑과　　　**無漏法林樹**에

　　각 의 정 묘 화　　　　해 탈 지 혜 과
　　覺意淨妙華와　　　**解脫智慧果**며

총지總持의 동산과

무루법의 숲속에서

깨달은 마음의 아름다운 꽃과

해탈과 지혜의 과일이 열립니다.

　동산에는 없는 것 없이 다 있다. 이것이 총지總持다. 재능이 많고
지식이 많고 경험이 많고 지혜가 많고 도반도 많아야 인생이 외롭
지 않다. 마치 동산에 노니는 것처럼. 특히 그와 같은 동산에 무루
법이 숲을 이룬다면, 그 숲에 아름다운 꽃과 해탈과 지혜의 열매가
열린다면 그의 삶은 이상적이다.

팔 해 지 욕 지　　　　정 수 담 연 만
八解之浴池에　　**定水湛然滿**하고

포 이 칠 정 화　　　　욕 차 무 구 인
布以七淨華커든　　**浴此無垢人**하며

팔해탈의 연못에는

선정의 맑은 물이 가득하고

칠정의 꽃[七淨華]을 펼쳐놓고

때가 없는 사람이 여기에서 목욕합니다.

팔해탈八解脫이란 번뇌의 속박에서 벗어나는 여덟 가지 선정을 말한다.

1. 내유색상관외색해탈內有色想觀外色解脫 : 마음속에 있는 빛깔이나 모양에 대한 생각을 버리기 위해 바깥 대상의 빛깔이나 모양에 대하여 부정관不淨觀을 닦음.

2. 내무색상관외색해탈內無色想觀外色解脫 : 마음속에 빛깔이나 모양에 대한 생각은 없지만 그 상태를 유지하기 위해 부정관을 계속 닦음.

3. 정해탈신작증구족주淨解脫身作證具足住 : 부정관不淨觀을 버리고 바깥 대상의 빛깔이나 모양에 대하여 청정한 방면을 주시하

여도 탐욕이 일어나지 않고, 그 상태를 몸으로 완전히 체득하여 안주함.

4. 공무변처해탈空無邊處解脫 : 형상에 대한 생각을 완전히 버리고 허공은 무한하다고 주시하는 선정으로 들어감.

5. 식무변처해탈識無邊處解脫 : 허공은 무한하다고 주시하는 선정을 버리고 마음의 작용은 무한하다고 주시하는 선정으로 들어감.

6. 무소유처해탈無所有處解脫 : 마음의 작용은 무한하다고 주시하는 선정을 버리고 존재하는 것은 없다고 주시하는 선정으로 들어감.

7. 비상비비상처해탈非想非非想處解脫 : 존재하는 것은 없다고 주시하는 선정을 버리고 생각이 있는 것도 아니고 생각이 없는 것도 아닌 경지의 선정으로 들어감.

8. 멸수상정해탈滅受想定解脫 : 모든 마음 작용이 소멸된 선정으로 들어감이다.

그리고 칠정화七淨華란 마음에 선정을 얻은 결과로서 이 칠정七淨을 갖추어 한없이 넓고 큰 덕을 성취하였으므로 그 덕을 아름다운 꽃에 비유하여 칠정화라고 하였다.

1. 계戒를 잘 지켜서 그 말이나 행동이 모두 청정하여진 상태의 계정戒淨이다.

2. 계율을 잘 지킨 결과로서 마음에 번뇌가 없어진 심정心淨이다.

3. 이미 마음에 번뇌가 없어졌으므로 사물과 사건을 보는 견해가 바르고 공정하여진 견정見淨이다.

4. 일체의 의혹을 없애어 몸과 마음이 완전히 청정하게 된 도의정度疑淨이다.

5. 세상 사람들의 선악 정사正邪 시비를 분별하여 아는 데 조금도 어긋나지 않고 하나하나 정당한 판단을 내릴 수 있는 분별도정分別道淨이다.

6. 불법을 널리 펴는 행行과 번뇌를 끊기 위한 노력[斷]과 만물의 실상을 잘 아는 지견知見이 모두 청정하여진 것, 즉 행단지견정行斷知見淨이다.

7. 정각을 성취하여 부처님의 경지에 이른 열반정涅槃淨이다.

상 마 오 통 치   대 승 이 위 거
象馬五通馳하되   **大乘以爲車**하고

조어이일심　　유어팔정로
調御以一心하야　**遊於八正路**하며

코끼리와 말은 오신통으로 달리는데

대승법이 수레가 됩니다.

일심으로 조복하여

팔정도의 길에 노닙니다.

　대승법이라는 큰 수레에 무수한 사람을 태우고 천안통天眼通, 천이통天耳通, 타심통他心通, 숙명통宿命通, 신족통神足通과 같은 신통력이 말[馬]이 되고 코끼리가 되어 오직 한마음으로 조복하고 제어하며, 정견正見으로 올바로 보고, 정사[正思, 正思惟]로 올바로 생각하며, 정어正語로 올바로 말하며, 정업正業으로 올바로 행동하며, 정명正命으로 올바로 목숨을 유지하며, 정근[正勤, 正精進]으로 올바로 부지런히 노력하며, 정념正念으로 올바로 기억하고 생각하며, 정정正定으로 올바로 마음을 안정하는 길에 노닌다.

상구이엄용　　중호식기자
相具以嚴容하되　**衆好飾其姿**하고

참괴지상복   심심위화만
慚愧之上服에   **深心爲華鬘**하며

32상을 갖추어 용모를 장엄하고

80종호로써 그 자태를 꾸미며

부끄러워함은 옷이 되고

깊은 마음은 꽃다발이 됩니다.

32상과 80종호를 갖추어 세상에서 가장 아름답고 덕스러운 얼굴에 훌륭한 옷을 입고 꽃을 한 다발 안았다면 그 사람은 더할 데 없이 빼어났으리라. 보살의 인생이란 상호도 훌륭해야 하지만, 겸손하고 부끄러워할 줄 알고 불법을 믿는 깊은 신심이 있어야 한다. 유마 거사는 게송으로 가장 이상적인 인격자를 이렇게 그리고 있다.

부유칠재보   교수이자식
富有七財寶하되   **教授以滋息**하고

여소설수행   회향위대리
如所說修行하야   **廻向爲大利**하며

일곱 가지 보물이 있어 부자가 되고

가르쳐 줌으로써 불어납니다.

말[言]과 같이 수행하여

회향으로 큰 이익을 삼습니다.

　칠재七財란 칠성재七聖財라고도 한다. 불법의 진리성을 믿어[信] 의심하지 않는 것, 부처님이 제정하신 계율[戒]을 잘 지키는 것, 항상 법을 듣는 것[聞]을 즐거움으로 삼는 것, 모든 물건에 대해 집착하지 않는[捨] 것, 꾸준히 지혜[慧]를 구하는 것, 과거의 잘못을 부끄러워하는[慚] 것, 현재의 잘못에 대해 부끄러워하는[愧] 것 등이다. 이것이야말로 자신에게 큰 소득이 되는 진정한 재물이며 보물이다. 이것을 다른 사람에게 가르치면 그 보물은 자꾸 불어난다. 모든 것을 남에게 회향하는 것이야말로 참다운 큰 이익이다. 이러한 사람은 이 세상에서 가장 이상적인 인격자이리라.

2) 유마힐의 게송 2

사 선 위 상 좌　　종 어 정 명 생
四禪爲牀座는　　從於淨命生이라

다 문 증 지 혜　　　이 위 자 각 음
多聞增智慧하야　**以爲自覺音**하며

사선정四禪定으로 의자를 삼아

청정한 생활을 합니다.

많이 듣고 지혜를 쌓아

스스로 깨닫는 음성으로 삼습니다.

사선四禪은 사선정이다. 우리의 마음을 닦아서 일체의 어지러운 생각을 없애고 절대의 진리와 일치시키는 과정을 네 단계인 초선初禪, 이선二禪, 삼선三禪, 사선四禪으로 나누는 것을 말한다. 그러한 선정을 의자로 삼아 청정한 생활을 한다. 보살은 언제나 마음을 안정시키는 선정을 견지해야 한다. 또한 보살로서 다문多聞, 즉 다방면으로 학문을 두루 익혀 지혜가 남달라야 한다.

감 로 법 지 식　　　해 탈 미 위 장
甘露法之食하고　**解脫味爲漿**이로다

정 심 이 조 욕　　　계 품 위 도 향
淨心以澡浴하고　**戒品爲塗香**하니

감로의 법으로 밥을 삼고
해탈의 맛으로 간장을 삼습니다.
청정한 마음으로 목욕하고
계품을 잘 지켜 향수로 삼습니다.

감로의 법이란 불사不死의 법이다. 삶과 죽음을 초월한 법으로
밥을 삼고 그 법으로 해탈한다. 그것은 간장이다. 지금의 반찬에
해당한다. 유마 보살의 식사는 이와 같고, 목욕하고 향수를 바르
는 일도 청정한 마음과 계품戒品을 지키는 일이다.

최 멸 번 뇌 적   용 건 무 능 유
摧滅煩惱賊에   **勇健無能踰**라

항 복 사 종 마   승 번 건 도 량
降伏四種魔하고   **勝旛建道場**이니라

번뇌의 도적을 소탕해 버리니
용맹하고 씩씩함이 보살을 넘어설 이 없습니다.
네 가지 마군을 항복받아서
승리의 깃발로 도량을 세웁니다.

자신에게 있는 번뇌를 이기는 사람은 전쟁에서 천군만마千軍萬馬를 이기는 사람보다 우수하고 용감하다. 네 가지 마군이란 번뇌마煩惱魔·온마蘊魔·천마天魔·사마死魔다. 이와 같은 마군들을 항복받고 또 수많은 종파의 주의·주장을 정법으로 이긴 승리의 깃발로 도량을 건립한다. 대승보살의 삶은 자신의 번뇌와 삿된 법에 대해서는 용맹함과 씩씩함을 한껏 발휘해야 한다.

수 지 무 기 멸　　시 피 고 유 생
雖知無起滅이나　**示彼故有生**하야

실 현 제 국 토　　여 일 무 불 견
悉現諸國土하되　**如日無不見**하며

비록 일어나고 사라짐이 없음을 알지만
다른 사람들에게는 짐짓 태어남을 보여
모든 국토에 다 나타나는 것이
태양을 곳곳에서 다 보는 것과 같습니다.

보살은 삶과 죽음이 없는 도리를 수용하지만, 한편으로는 태어남이 있음을 보인다. 마치 모든 사람이 저 태양을 다 볼 수 있는 것

과 같다. 해가 서산으로 넘어가면 해가 졌다고 하나 그 해는 없어
지지 않고 내일 다시 떠오르듯이 보살도 그와 같이 생멸生滅이 없는
가운데 다시 생멸이 있음을 보인다.

3) 유마힐의 게송 3

공 양 어 시 방　　무 량 억 여 래
供養於十方에　**無量億如來**하되

제 불 급 기 신　　무 유 분 별 상
諸佛及己身에　**無有分別想**하며

시방에 계시는
무량 억만 여래에게 공양 올려도
부처님과 자신을
분별하는 생각이 없습니다.

　필자가 주창하는 인불사상人佛思想이란 모든 사람이 그대로 부처
님이라는 뜻이다. 유마 거사가 시방의 무량 억만 부처님께 공양을
올리되 부처님과 자신을 분별하지 않는다는 것이 곧 인불사상이라

고 할 수 있다. 다른 사람이 부처님이라면 자신도 부처님이기 때문에 분별하는 생각이 없다고 하였다. 만약 석가모니와 같은 특정한 부처님만을 부처님이라고 한다면 무량 억만 부처님이란 있을 수 없다. 모든 사람 모든 생명을 지금 그대로 부처님으로 이해할 때 가능한 이야기다.

불교의 궁극적 가르침을 최승불교最勝佛敎라고 한다면 그 최승불교는 사람마다 본래로 복덕과 지혜를 더 닦아야 한다거나 번뇌와 망상을 더 제거해야 할 필요가 없이 지금 그대로 완전무결한 부처님이라는 인불사상을 근본으로 하고 있다.

수 지 제 불 국
雖知諸佛國과　　급 여 중 생 공
及與衆生空이나

이 상 수 정 토
而常修淨土하야　　교 화 어 군 생
敎化於群生하며

비록 모든 세계와

중생이 공함을 알지만

항상 정토행을 닦아서

뭇 생명을 교화합니다.

보살의 국토와 중생에 대한 안목은 이렇다. 모든 국토는 지금 현재 그대로 청정한 화장장엄華藏莊嚴 불국토이며 중생은 중생이 아니라 모두가 부처님이다. 조금 더 낮은 견해라면 국토와 중생이 다 텅 비어 공空하다고 본다. 그와 같은 견해로써 국토를 청정하게 닦고 또한 중생을 교화한다. 이와 같은 안목을 중도적 안목이라고 한다.

제유중생류   형성급위의
諸有衆生類에   形聲及威儀로

무외력보살   일시능진현
無畏力菩薩이   一時能盡現하며

온갖 곳의 중생에게

형상과 소리와 위의와

두려움 없는 힘을 가진 보살이

일시에 능히 다 나타냅니다.

보살은 다종다양한 중생에게 그 몸을 나타내어 교화하고 제도한다. 설사 형상이 다르고 소리가 다르고 위의威儀가 다르더라도 빠짐없이 제도하기 위해서는 항상 나타나서 법을 설해야 한다.

각 지 중 마 사　　이 시 수 기 행
覺知衆魔事하되　**而示隨其行**하야

이 선 방 편 지　　수 의 개 능 현
以善方便智로　**隨意皆能現**하며

온갖 마군들의 일을 깨달아 알지만

그들의 행을 따름을 보여서

훌륭한 방편과 지혜로써

마음대로 다 능히 나타냅니다.

세상을 살다 보면 마음에 들지 않는 일도 많고 마음에 들지 않
는 사람도 많다. 불교에서 말하는 마군이란 모두가 자신의 마음에
들지 않는 일이나 사람들이라고도 할 수 있다. 그러나 그들과 함
께하지 않을 수 없는 경우가 많다. 인연에 따라 함께하되 늘 훌륭
한 방편과 지혜로 그들을 교화하고 앞장서서 인도해야 하는 것이
보살이다. 보살에게 결코 물리쳐야 하거나 보지 말아야 할 마군은
없기 때문이다.

혹 시 노 병 사　　성 취 제 군 생
或示老病死하야　**成就諸群生**하되

요 지 여 환 화　　통 달 무 유 애
了知如幻化하야　**通達無有礙**하며

혹은 늙고 병들고 죽음을 보여

많고 많은 중생을 성취하게 하되

환화와 같음을 깨달아 알아

통달하여 걸림이 없습니다.

　인생을 성숙시키고 지혜가 나게 하고 철이 들게 하는 무수한 선
지식 중에 자신이 늙고 병들고 죽는다는 이 사실보다 뛰어난 선지
식은 없다. 늙고 병들고 죽음을 통해서 자기 중생도 제도하고 다
른 중생도 제도한다. 석가와 달마도 다 그러하고 임제와 황벽도
다 그러하였다.

혹 현 겁 진 소　　천 지 개 통 연
或現劫盡燒하야　**天地皆洞然**커던

중인 유상 상　　조 령 지 무상
衆人有常想을　　**照令知無常**하며

혹은 겁劫이 다할 때에 불이 일어나서

천지가 다 타 버리더라도

모든 사람들은 항상하다고 생각하는 것을

지혜로 비춰서 무상함을 알게 합니다.

순간순간 늙고 병들고 죽어 가면서도 한결같다고 생각하는 것
이 중생이다. 인생무상과 세상무상을 지혜로 잘 알고 느끼며 살아
간다면 그는 종교적으로 철이 든 사람이라고 할 수 있다.

4) 유마힐의 게송 4

무 수 억 중생　　구 래 청 보 살
無數億衆生이　　**俱來請菩薩**커던

일 시 도 기 사　　화 영 향 불 도
一時到其舍하야　　**化令向佛道**하며

무수억 중생이

함께 와서 보살을 청하면

일시에 그들의 집에 이르러

그들을 교화하여 불도에 향하게 합니다.

보살은 중생이 와서 법을 청하면 몸을 아끼지 아니하고 인연을 따르고 근기를 따라 가르쳐 줘야 한다. 힘이 들고 고통이 따르더라도 불법에 대한 애착과 중생을 아끼는 마음과 정법正法을 깨우쳐 주려는 원력으로 청하는 것을 들어줘야 한다. 진정으로 우러나는 마음을 다해서 최승의 불법을 금은보화를 한아름 안겨 주는 마음으로 전해 줘야 한다. 그것이 보살의 사명감이다.

경 서 금 주 술　　공 교 제 기 예
經書禁呪術과　　工巧諸技藝에도

진 현 행 차 사　　요 익 제 군 생
盡現行此事하야　　饒益諸群生하며

경서와 주술과

교묘한 온갖 재주를

이러한 일들을 다 나타내어

모든 중생을 다 요익하게 합니다.

　중생을 요익하게 하는 일은 여러 가지가 있다. 첫째는 불교 중에서도 가장 뛰어난 대승법으로 요익하게 하여야 하고 법의 인연이 안 되면 물질이나 기타 온갖 것을 동원하여 일체중생을 요익하게 하기 위해서 사는 것이 보살의 삶이다. 그러나 무엇보다 가치가 우수한 것은 최상의 바른 법을 가르치는 일이다.

　　　세 간 중 도 법　　　실 어 중 출 가
　　　世間衆道法에　　　**悉於中出家**하고

　　　인 이 해 인 혹　　　이 불 타 사 견
　　　因以解人惑하야　　　**而不墮邪見**하며

세간의 온갖 도법道法에
모두 그 가운데서 출가하여
그로 말미암아 사람들의 미혹을 풀어 주고
삿된 견해에 떨어지지 않게 합니다.

　인도는 예나 지금이나 종교의 나라다. 갖가지 종교가 많아서 그들의 종교마다 출가하여 수행하는 사람들이 많다. 그러나 모두가 올바른 견해를 가졌다고는 생각할 수 없다. 유마 보살은 그들이 출가하여 수행하지만, 삿된 견해에 떨어지지 않게 하려고 그들의 종교에도 출가하여 그들의 미혹을 해결해 준다는 뜻이다.

혹 작 일 월 천　　　범 왕 세 계 주
或作日月天과　　**梵王世界主**하며

혹 시 작 지 수　　　혹 부 작 풍 화
或時作地水하고　**或復作風火**하며

혹은 일천자도 되고 월천자도 되고

범왕과 세계의 주인도 되고

주지신도 되고 주수신도 되며

혹은 주풍신도 되고 주화신도 됩니다.

일천자日天子는 곧 태양이고 월천자는 곧 달이다. 중생을 요익하게 하기 위해서 태양도 되고 달도 되며, 범천의 왕도 되고 이 세계의 주인도 된다. 땅을 맡은 신이나 물을 맡은 신도 되고, 바람이나 불이나 무엇이나 되고자 하는 마음이 보살의 중생을 향한 자비심이다.

겁 중 유 질 역   현 작 제 약 초
劫中有疾疫_{커든}   現作諸藥草_{하야}

약 유 복 지 자   제 병 소 중 독
若有服之者_면   除病消衆毒_{하며}

어떤 해에 전염병이 돌면

온갖 약초가 되기도 합니다.

만약 그것을 복용하는 사람은

병도 낫고 모든 독기도 녹입니다.

보살은 사람들 마음의 병만 치료하는 것이 아니라 육신의 병도 치료해야 한다. 전염병이나 갖가지 위중한 불치병을 잘 살펴서 환자들을 다 치료할 수 있는 약과 기술이 일반화되어 누구나 최첨단 의료 혜택을 받을 수 있는 세상이 되면 얼마나 좋을까. 그래서 고치지 못하는 병이 없게 하고자 마음 쓰는 것이 보살이다.

겁 중 유 기 근   현 신 작 음 식
劫中有饑饉_{커든}   現身作飲食_{하야}

선 구 피 기 갈　　　각 이 법 어 인
先救彼飢渴하고　**却以法語人**하며

어떤 해에 기근이 오면
몸을 나타내어 음식을 만들어
먼저 주리고 목마름을 구제하고
다음엔 법으로써 사람들을 가르칩니다.

기근이 와서 먹을 것이 없거나 목이 말라도 마실 물이 없다면 무슨 진리의 가르침이 귀에 들어가겠는가. 먹고 마실 수 있게 보살펴 주는 일을 무엇보다도 먼저 서둘러야 할 것이다. 그런 다음 반드시 따라야 하는 일이 인생사와 세상사의 바르고 참된 이치를 깨우쳐 주는 일이다. 법은 먹고 마시는 것 못지않게 중요하다. 보살은 이 두 가지 면을 다 살펴서 중생을 요익하게 하여야 한다. 세상에는 인과의 법칙을 지키지 아니하여 스스로 지옥의 고통을 자작자수하는 사람들이 얼마나 많은가.

겁 중 유 도 병　　　위 지 기 자 비
劫中有刀兵커든　**爲之起慈悲**하야

^{화 피 제 중 생}
化彼諸衆生_{하야}　　^{영 주 무 쟁 지}
令住無諍地_{하며}

어떤 해에는 싸움이 일어나면

그들을 위하여 자비심을 일으켜서

저 모든 중생을 교화해서

다툼이 없는 땅에 머물게 합니다.

보살은 세상에 전염병이 돌거나 식량이 모자라 굶주리는 일이 닥치면 먼저 잘 구료救療해야 하고, 다음으로 나라와 나라 사이에 싸움이 일어나서 서로 간의 국토를 침범하고 인명을 해치면 반드시 자비심을 크게 일으켜서 그들을 잘 교화하여 갈등이 없고 다툼이 없게 하여야 한다.

^{약 유 대 전 진}
若有大戰陣_에　　^{입 지 이 등 력}
立之以等力_{커든}

^{보 살 현 위 세}
菩薩現威勢_{하야}　　^{항 복 사 화 안}
降伏使和安_{하며}

만약 큰 전쟁이 일어나서

서로 대등한 힘으로 버티면

보살이 위엄과 세력을 나타내어

그들을 항복받아 평화롭게 만듭니다.

　석가모니 부처님도 성도하신 후 중생 교화가 크게 일어날 무렵
코살라 나라의 유리[비루다카]왕이 전쟁을 일으켜 부처님의 고국인
카필라 국國을 멸망시킨 일이 있었다. 그때 부처님은 유리왕이 군
대를 이끌고 카필라 국을 쳐들어 오는 길목의 잎이 다 말라 버린
앙상한 나무 밑에서 유리왕을 기다렸다. 부처님은 지혜와 자비심
으로 유리왕을 설득하여 침략을 막아 보려고 하였으나 두 번까지
는 막았지만 세 번째는 막지 못하고 카필라 국이 멸망한 역사가 있
다. 『유마경』은 아마도 세존에게 있었던 이러한 역사적 가슴 아픈
사실을 상기하며 설해졌으리라.

일 체 국 토 중　　　제 유 지 옥 처
一切國土中의　　　諸有地獄處에

첩 왕 도 어 피　　　면 제 기 고 뇌
輒往到於彼하야　　勉濟其苦惱하며

일체 국토 중에

온갖 지옥이 있으면

곧바로 그곳에 가서

힘써 그들의 고통을 건져 줍니다.

<ruby>一<rt>일</rt></ruby><ruby>切<rt>체</rt></ruby><ruby>國<rt>국</rt></ruby><ruby>土<rt>토</rt></ruby><ruby>中<rt>중</rt></ruby>에　<ruby>畜<rt>축</rt></ruby><ruby>生<rt>생</rt></ruby><ruby>相<rt>상</rt></ruby><ruby>食<rt>식</rt></ruby><ruby>噉<rt>담</rt></ruby>커든

<ruby>皆<rt>개</rt></ruby><ruby>現<rt>현</rt></ruby><ruby>生<rt>생</rt></ruby><ruby>於<rt>어</rt></ruby><ruby>彼<rt>피</rt></ruby>하야　<ruby>爲<rt>위</rt></ruby><ruby>之<rt>지</rt></ruby><ruby>作<rt>작</rt></ruby><ruby>利<rt>이</rt></ruby><ruby>益<rt>익</rt></ruby>하며

일체 국토 중에

축생들이 서로 잡아먹으면

다 그들에게 태어나서

그들을 위하여 이익이 되게 합니다.

보살의 삶은 지옥이 있으면 지옥을 구제하고 축생이 있으면 축생을 제도한다. 지옥은 인간으로서 가장 고통스러운 순간이며 축생이란 인간이 인간답지 못하고 어리석기가 개나 돼지나 소나 말과 같아서 미련하고 캄캄하게 살아가는 것을 뜻한다. 지옥과 같은 고통을 받거나 축생과 같이 어리석은 것은 모두 지혜가 없기 때문이다. 그러므로 불교는 무엇보다 지혜를 강조한다. 지혜가 있으므로 인과를 알고 인과의 법칙을 지키기 때문이다.

시 수 어 오 욕
示受於五欲하고   示復現行禪하야
시 부 현 행 선

영 마 심 궤 란
令魔心憒亂하야   不能得其便하며
불 능 득 기 편

오욕을 받는 것도 보이고

다시 참선하는 것도 보여서

마군의 마음을 어지럽게 만들어

그들이 기회를 잡지 못하게 합니다.

화 중 생 연 화
火中生蓮華가   是可謂希有니
시 가 위 희 유

재 욕 이 행 선
在欲而行禪이   希有亦如是니라
희 유 역 여 시

불 속에서 핀 연꽃이

가히 희유하듯이

욕심 중에 있으면서 참선을 함이

희유함이 그와 같습니다.

육조혜능 대사의 제자인 영가현각 대사는 이『유마경』을 읽고 깨
달음을 얻었다고 한다. 혜능 대사에게 인가를 받고 돌아오면서 지
은 「증도가證道歌」에는 이 부분의 내용이 나온다. "재욕행선지견력
화중생연종불괴在欲行禪知見力 火中生蓮終不壞"라고 하였다. "욕심 속에
서 참선하는 것은 지혜의 힘이다. 마치 불꽃 속에서 연꽃이 핀 것과
같아서 절대로 파괴되지 않는다."라는 뜻이다. 인간은 누구나 욕
심이 있다. 참선이든 염불이든 욕심을 가지고 있으면서 하는 수행
이다. "욕심과 진심과 어리석음을 제거해야 수행이 된다."라고 가
르치는 불교는 수준이 낮은 방편불교다. 유마 거사는 세속적 욕심
을 그대로 가지고 있는 상태에서 참선하는 것은 희유하고 특별한
일이라고 하였다. 그렇다. 가장 뛰어난 불교, 즉 신불교新佛教, 신대
승불교新大乘佛教는 쉬우면서 희유하고 특별하다.『제법무행경諸法無
行經』의 말씀처럼 "탐욕이 곧 도다. 진심과 어리석음도 또한 그와
같다. 이 세 가지 중에 곧 일체 불법이 다 갖추어져 있다."

혹현작음녀　　인제호색자
或現作婬女하야　**引諸好色者**하되

선이욕구견　　후영입불지
先以欲鉤牽하고　**後令入佛智**하며

혹은 음탕한 여자가 되어

모든 호색한 이들을 이끌어

먼저 욕망으로 끌어당겨 놓고

뒤에는 부처님의 지혜에 들게 합니다.

　사람을 이끌어들이는 데는 동사섭同事攝만 한 좋은 방편이 없다.
음탕한 사람을 교화하려면 자신도 음탕한 사람이 되어 함께 음탕
한 짓을 하면서 나중에는 깨달음의 지혜에 들게 한다면 이보다 더
훌륭한 교화 방편은 없을 것이다.

혹위읍중주　　혹작상인도
或爲邑中主하고　**或作商人導**와

국사급대신　　이우리중생
國師及大臣하야　**以祐利衆生**하며

혹은 한 고을의 주인이 되고

혹은 상인들의 인도자가 되고

국사도 되고 대신도 되어

중생을 도와서 이익되게 합니다.

제 유 빈 궁 자　　　현 작 무 진 장
諸有貧窮者에　　**現作無盡藏**하고

인 이 권 도 지　　　영 발 보 리 심
因以勸導之하야　**令發菩提心**하며

모든 가난한 사람들에게는

무진장의 재산가가 되어

그로 말미암아 그들을 권고하고 인도하여

보리심을 발하게 합니다.

그 자리를 얻으면 그 일을 할 수 있다. 보살로서 보살행을 더욱
널리 행하려면 자리를 차지하는 것이 대단히 유리하다. 하다못해
작은 절의 주지라도 된다면 부처님 가르침을 전하고 공덕을 닦기에
편리하다. 만약 보살로서 세속의 구청장이나 시장이나 장관이나 국

회의원이나 회사의 사장이나 큰 그룹의 회장이나 대통령이 된다면 중생에게 진리를 가르쳐 요익하게 하는 데 얼마나 편리할까. 보살의 원력과 진리에 대한 소신과 안목이 있는 사람으로서는 방편으로 꼭 한번 그 자리를 차지해 볼 일이다. 만약 큰 절의 주지를 맡아서 부처님 정법을 펴는 데 힘쓰지 않는다면 참으로 안타까운 일이다.

아 심 교 만 자 　　위 현 대 역 사
我心憍慢者에　　爲現大力士하야

소 복 제 공 고 　　영 주 무 상 도
消伏諸貢高하고　令住無上道하며

나는 아만심이 많고 교만한 사람에게는

큰 역사로 나타나서

자신을 높이는 마음을 녹여 항복받아서

최상의 높은 도에 머물게 합니다.

교만한 사람에게는 뛰어나게 힘이 센 사람으로 나타나서 항복받는다고 한 것은 무슨 뜻일까? 필자가 가끔 하는 엉뚱한 생각은 요즘 사람 중에 불교를 배척하고 비정상적으로 없애려는 사람들에

게는 아주 신비한 능력을 나타내 보여서 그들에게 감동을 주는 것
이다. 또 상식과 예의가 통하지 않는 사람들은 힘이 보통 사람의
100배 정도 세거나 물 위를 걷는다든지 사물을 마음대로 움직인
다든지 사람의 마음속을 환하게 꿰뚫어본다든지 하는 그와 같은
신비한 능력을 보여서 그들의 근기와 사람 됨됨이에 맞춰서 교화하
고 싶은 생각이 가끔 떠오른다. 유마 거사도 아마 그 같은 경우였
으리라.

5) 유마힐의 게송 5

기 유 공 구 중　　거 전 이 위 안
其有恐懼衆커든　**居前而慰安**하되

선 시 이 무 외　　후 영 발 도 심
先施以無畏하고　**後令發道心**하며

두려움에 떠는 대중이 있으면

그들 앞에 나타나 위로하여 편안하게 하고

먼저 두려움 없음을 베풀고

뒤에는 도道에 대한 마음을 내게 합니다.

보시 중에 무외시無畏施라는 것이 있다. 세상에는 사람을 두렵게 하는 일이 여러 가지가 있다. 또한 사람이 스스로 두려워하는 경우도 많다. 사람들이 두려움에 떨 때 그를 위로하여 편안하게 해 주는 것은 참으로 훌륭한 보시다. 마음을 평안하게 한 다음 도道에 대한 마음을 내게 한다면 보살로서 할 일을 다한 것이다.

혹 현 이 음 욕   위 오 통 선 인
或現離婬欲하되   爲五通仙人하야

개 도 제 군 생   영 주 계 인 자
開導諸群生하야   令住戒忍慈하며

혹은 음욕을 멀리함을 나타내어
다섯 가지 신통을 지닌 신선이 되어
온갖 중생을 가르쳐 제도하여
계율과 인욕과 자비에 머물게 합니다.

견 수 공 사 자   현 위 작 동 복
見須供事者어든   現爲作僮僕하야

기 열 가 기 의   내 발 이 도 심
旣悅可其意하고   **乃發以道心**하며

일을 도와줄 사람을 찾으면

어린 종이 되어 나타나서

그의 마음을 기쁘게 하여

도에 대한 마음을 내도록 합니다.

수 피 지 소 수   득 입 어 불 도
隨彼之所須하야   **得入於佛道**하고

이 선 방 편 력   개 능 급 족 지
以善方便力으로   **皆能給足之**하며

다른 사람이 필요로 함을 따라서

불도에 들어가게 하고

훌륭한 방편력으로

다 능히 흡족하게 하여 줍니다.

유마 보살은 모든 분야에서 중생을 교화하려는 원력이 있으므로
어떤 성향의 사람이라도 위와 같은 계율과 인욕과 자비에 머물게

한다. 때로는 어린 노비가 되어 시자侍者 노릇도 한다. 시자 노릇
을 잘하여 어른의 마음을 기쁘게 하는 일은 쉽지가 않다. 그러나
보살은 어른을 기쁘게 하여 끝내는 도道에 대한 마음을 일으키게
한다. 다른 사람이 필요로 하는 것은 무엇이든지 따라 주며 불도
에 들게 하는 데 훌륭한 방편을 쓴다. 방편이 훌륭하지 아니하면
사람들은 따르지 아니한다.

여 시 도 무 량　　　소 행 무 유 애
如是道無量하고　**所行無有涯**하며

지 혜 무 변 제　　　도 탈 무 수 중
智慧無邊際하야　**度脫無數衆**하나니

이와 같은 도가 한량이 없고

행하는 일이 끝이 없으며

지혜도 변제가 없어

무수한 중생을 제도합니다.

가 령 일 체 불　　어 무 수 억 겁
假令一切佛이　　**於無數億劫**에

찬 탄 기 공 덕　　유 상 불 능 진
讚歎其功德하되　　**猶尙不能盡**커던

가령 일체 모든 부처님이

무수한 억겁 동안에

그 공덕을 찬탄하더라도

오히려 능히 다하지 못합니다.

수 문 여 시 법　　불 발 보 리 심
誰聞如是法하고　　**不發菩提心**가

제 피 불 초 인　　치 명 무 지 자
除彼不肖人과　　**癡冥無智者**니라

어떤 사람인들 이 법문을 듣고

보리심을 일으키지 아니하겠습니까.

저 불초한 인간과

어리석고 캄캄하여 무지한 사람은 제외합니다.

보살은 중생을 위한 일이라면 그 도道가 한량이 없으며 행하는 바가 끝이 없으며 그 지혜 또한 가없다. 이러한 것은 모두가 무수한 중생을 제도하기 위함이다. 이 훌륭한 보살도를 가령 일체 부처님이 무수한 겁 동안 찬탄한다 하더라도 오히려 다하지 못한다. 세상에서 보살의 인생과 같은 것은 없다. 그러므로 불교의 결론은 보살행을 실천하는 일이다. 아무리 고준한 진리를 설파하더라도 "그래서 지금 이 순간 어떻게 살아야 한다는 말인가?"라는 질문에 답하는 말이 곧 "보살도를 실천하는 일이다."라고 할 수밖에 없기 때문이다.

불도품佛道品의 불도란 곧 보살도菩薩道이다. 어리석고 무지몽매한 사람이 아닌 보통의 사람이라면 위와 같은 보살의 삶에 대한 설명을 들으면 모두가 다 환희로운 마음을 일으킬 것이다.

九. 입불이법문품入不二法門品

　문수사리와 유마 거사의 길고 긴 담론이 거의 끝나고 비로소 그 유명한 불이법문不二法門이 설해지는 부분이다. 둘이 아니란 것은 무엇인가. 역사가 깊고 규모가 큰 사찰에는 반드시 불이문不二門이라는 문이 있다. 일주문을 지나고 사천왕문을 지나면 그다음에 나타나는 문이 불이문이다. 진정한 불법佛法의 문으로 들어가는 문이라는 뜻이다. 불법의 이치는 여러 가지로 표현되지만, 특히 둘이 아니라는 것은 많은 의미를 지니고 있다. 32명의 보살과 유마 거사 각자가 알고 있는 둘이 아닌 이치를 피력하는 장면이다. 최후에 유마 거사가 침묵으로써 불이법문을 보여 준 것은 만고에 절창이다.

1. 여러 보살과 유마 거사의 불이법문

이 시 유 마 힐   위 중 보 살 언   제 인 자   운 하 보 살
爾時維摩詰이 **謂衆菩薩言**하되 **諸仁者**여 **云何菩薩**이

입 불 이 법 문   각 수 소 요 설 지
入不二法門이 **各隨所樂說之**어다

그때에 유마힐이 여러 보살에게 말하였다.

"여러 훌륭하신 분들이여, 무엇이 보살이 둘이 아닌 법문에 들어가는 것입니까? 각각 좋아하는 바를 따라서 말씀해 주십시오."

그동안 유마 거사와 문수사리 등 몇몇 분만 이야기를 나누었다. 이 품品에서는 32명의 보살에게 불교의 여러 가지 명제와 이치 중에서 가장 궁극적 이치라고 할 수 있는 중도中道 또는 절대평등한 완전 하나의 경지[不二]에 대한 견해를 듣고자 유마 거사가 청을 하여 하나하나 듣게 된다.

1)

회　중　　유보살　　　명　　법자재　　설　언　　　제인자
會中에 有菩薩하니 名은 法自在라 說言하되 諸仁者어

생　멸　　위이　　법본불생　　　금　즉　무　멸　　　득차무생
生滅이 爲二니 法本不生이어늘 今則無滅이라 得此無生

법인　　시위입불이법문
法忍이 是爲入不二法門이니다

법회 중에 보살이 있었는데 이름은 법자재法自在였다. 말씀하
기를, "모든 훌륭하신 분들이여, 생과 멸이 둘이니 법은 본래
생기는 것이 아니므로 지금 곧 소멸이 없습니다. 이러한 생멸
이 없는 법의 진리를 얻는 이것이 둘이 아닌 법문에 들어가는
것이 됩니다."라고 하였다.

먼저 법자재法自在보살은 생기고 없어지는 것이 두 가지인데 진리
[法]는 본래 생기거나 없어지는 것이 아니므로 생기고 없어짐이 없는
진리[無生法忍]를 터득하는 것이 곧 불이법문에 들어가는 것이 된다
고 하였다. 불생불멸이니 생사해탈이니 하는 말은 불교에서 깨달
아 얻어야 할 목표로 설정되어 있어서 매우 중요한 불이법문이다.

2)

덕수보살　왈아　　아소위이　　인유아고　변유아
德守菩薩이 曰我와 我所爲二나 因有我故로 便有我

소　약무유아　즉무아소　　시위입불이법문
所니 若無有我면 則無我所라 是爲入不二法門이니다

덕수德守보살이 말하였다.

"나와 나의 것이 둘이 되지만, 내가 있음을 인하여 곧 나의 것이 있게 된 것입니다. 만약 내가 없으면 곧 나의 것도 없습니다. 이것이 둘이 아닌 법문에 들어가는 것이 됩니다."

무아無我라는 명제도 불교에서 대단히 중요하게 생각하는 내용이다. 세상을 크게 나누면 나와 나의 것으로 분류한다. 내가 있기 때문에 나의 것이 있게 되므로 내가 없으면 모든 문제가 해결된다. 나의 것이란 산하대지와 삼라만상과 유정무정이 모두 나의 것이 된다. 그런데 내가 없음[無我]은 어떻게 해서 가능한가. 근본불교나 초기대승불교까지 이 무아無我를 각 방면으로 설명하여 이론이 분분하다.

3)

불순보살   왈수   불수위이   약법불수즉불가
不眴菩薩이 **曰受**와 **不受爲二**어늘 **若法不受則不可**

득   이불가득고   무취무사   무작무행   시위
得이라 **以不可得故**로 **無取無捨**하며 **無作無行**하나니 **是爲**

입불이법문
入不二法門이니다

불순不眴보살이 말하였다.

"받아들이는 것과 받아들이지 않는 것이 둘이 되는데 만약 법을 받아들이지 아니하면 얻을 수 없습니다. 얻을 수 없으므로 취함도 없고 버림도 없으며 지음도 없고 행함도 없습니다. 이것이 둘이 아닌 법문에 들어가는 것이 됩니다."

사람의 삶이란 다만 이 받아들이는 것뿐이다. 감수하고 느껴 아는 모든 것으로부터 사람의 삶이 영위된다. 경계를 어떻게 감수하는가, 감수하여 또 어떻게 반응하는가. 이 문제로 일생의 시간이 다 지나간다. 그러므로 모든 법에 대해서 이 감수하는 일이 해결되면 취하고 버릴 것이 없게 되므로 지음도 없고 행함도 없어서 이것이 불이법문에 들어가는 것이 된다고 하였다.

4)

덕 정 보 살　왈 구 정　위 이　　견 구 실 성　　즉 무 정
德頂菩薩이 **曰垢淨**이 **爲二**어늘 **見垢實性**이면 **則無淨**

상　　순 어 멸 상　　시 위 입 불 이 법 문
相하여 **順於滅相**이라 **是爲入不二法門**이니다

덕정德頂보살이 말하였다.

"더러움과 깨끗함이 둘이 되는데 더러움의 실다운 성품을 보면 곧 깨끗한 모양도 없어서 적멸의 모습을 따르게 됩니다. 이것이 둘이 아닌 법문에 들어가는 것이 됩니다."

사람의 삶 대부분은 깨끗하다 더럽다, 좋다 나쁘다, 선이다 악이다라는 상대적인 문제에 휘둘려 살아간다. 그런데 깨끗한 것이든 더러운 것이든 그 실체를 잘 관찰하면 깨끗한 것도 더러운 것도, 좋은 것도 나쁜 것도 없다. 오직 텅 빈 적멸만이 있을 뿐이다. 이것이 불이법문에 들어가는 것이 된다고 하였다.

5)

선숙보살　왈시동시념　위이　　부동즉무념
善宿菩薩이 **曰是動是念**이 **爲二**어늘 **不動則無念**이요

무념　　즉무분별　　통달차자　시위입불이법문
無念이면 **卽無分別**이라 **通達此者**가 **是爲入不二法門**이니다

선숙善宿보살이 말하였다.

"움직임과 생각이 둘이 되지만, 움직이지 아니하면 곧 생각이 없으며 생각이 없으면 곧 분별이 없습니다. 이 이치를 통달하는 것이 이것이 둘이 아닌 법문에 들어가는 것이 됩니다."

경계가 움직이는 것이 먼저인가, 움직이는 것을 보고 생각하여 아는 것이 먼저인가? 또 이런 말도 있다. 깃발이 움직이는 것은 바람 때문인가, 깃발 때문인가? 바람도 아니고 깃발도 아니고 그대의 마음이 움직이기 때문이다. 마음으로 생각하여 아는 것이 없다면 분별이 없다. 이것이 둘이 아닌 법문에 들어가는 것이라고 하였다.

6)

선안보살 왈일상무상 위 이 약지일상 즉시
善眼菩薩이 日一相無相이 爲二어늘 若知一相이 卽是

무상 역불취무상 입어평등 시위입불이법
無相하고 亦不取無相하면 入於平等하리니 是爲入不二法

문
門이니이다

선안善眼보살이 말하였다.

"일상一相과 무상無相이 둘이 되지만, 만약 일상이 곧 무상인
줄 알고 또한 무상도 취하지 아니하면 평등한 곳에 들어갑니
다. 이것이 둘이 아닌 법문에 들어가는 것이 됩니다."

일상一相이라 하더라도 그것은 절대적인 일상이다. 하나나 둘이
나 셋 등의 일상이 아니다. 그러므로 절대의 일상은 곧 무상無相이
나 마찬가지다. 무상은 그 무상마저 없다. 이것이 둘이 아닌 법문
에 들어가는 것이라고 하였다.

7)

<ruby>妙<rt>묘</rt></ruby><ruby>臂<rt>비</rt></ruby><ruby>菩<rt>보</rt></ruby><ruby>薩<rt>살</rt></ruby>이 <ruby>曰<rt>왈</rt></ruby><ruby>菩<rt>보</rt></ruby><ruby>薩<rt>살</rt></ruby><ruby>心<rt>심</rt></ruby>과 <ruby>聲<rt>성</rt></ruby><ruby>聞<rt>문</rt></ruby><ruby>心<rt>심</rt></ruby>이 <ruby>爲<rt>위</rt></ruby><ruby>二<rt>이</rt></ruby>어늘 <ruby>觀<rt>관</rt></ruby><ruby>心<rt>심</rt></ruby><ruby>相<rt>상</rt></ruby>

<ruby>空<rt>공</rt></ruby>하되 <ruby>如<rt>여</rt></ruby><ruby>幻<rt>환</rt></ruby><ruby>化<rt>화</rt></ruby><ruby>者<rt>자</rt></ruby>면 <ruby>無<rt>무</rt></ruby><ruby>菩<rt>보</rt></ruby><ruby>薩<rt>살</rt></ruby><ruby>心<rt>심</rt></ruby>하고 <ruby>無<rt>무</rt></ruby><ruby>聲<rt>성</rt></ruby><ruby>聞<rt>문</rt></ruby><ruby>心<rt>심</rt></ruby>이라 <ruby>是<rt>시</rt></ruby><ruby>爲<rt>위</rt></ruby><ruby>入<rt>입</rt></ruby>

<ruby>不<rt>불</rt></ruby><ruby>二<rt>이</rt></ruby><ruby>法<rt>법</rt></ruby><ruby>門<rt>문</rt></ruby>이니다

묘비妙臂보살이 말하였다.

"보살의 마음과 성문의 마음이 둘이지만, 마음의 모습이 공하여 환화와 같음을 관찰하면 보살의 마음도 없고 성문의 마음도 없습니다. 이것이 둘이 아닌 법문에 들어가는 것이 됩니다."

어찌 보살의 마음과 성문의 마음뿐이겠는가. 갑이라는 사람의 마음, 을이라는 사람의 마음, 남자의 마음, 여자의 마음, 젊은이의 마음, 늙은이의 마음, 동양 사람의 마음, 서양 사람의 마음 등 무수히 많다. 그러나 마음의 실체는 텅 비어 공空한 것이다. 이처럼 아는 것, 이것이 둘이 아닌 법문에 들어가는 것이라고 하였다.

8)

<ruby>弗沙菩薩<rt>불사보살</rt></ruby>이 <ruby>曰善<rt>왈선</rt></ruby>과 <ruby>不善<rt>불선</rt></ruby>이 <ruby>爲二<rt>위이</rt></ruby>어늘 <ruby>若不起善不善<rt>약불기선불선</rt></ruby>

하고 <ruby>入無相際而通達者<rt>입무상제이통달자</rt></ruby>면 <ruby>是爲入不二法門<rt>시위입불이법문</rt></ruby>이니다

불사弗沙보살이 말하였다.

"선善과 불선不善이 둘이 되지만, 만약 선도 불선도 일으키지
아니하여 형상이 없는 경계에 들어가 통달하면 이것이 둘이 아
닌 법문에 들어가는 것이 됩니다."

선함과 선하지 아니함은 틀림없이 두 가지이다. 그러나 그것은
그와 같은 행위를 일으켰을 때에 있을 수 있는 일이지만, 만약 선
함과 선하지 아니함이 형상이 없음을 통달한다면 그것은 둘이 아
니다. 이것이 둘이 아닌 법문에 들어가는 것이라고 하였다.

9)

<ruby>獅子菩薩<rt>사자보살</rt></ruby>이 <ruby>曰罪<rt>왈죄</rt></ruby>와 <ruby>福<rt>복</rt></ruby>이 <ruby>爲二<rt>위이</rt></ruby>어늘 <ruby>若達罪性<rt>약달죄성</rt></ruby>하면 <ruby>則與<rt>즉여</rt></ruby>

복 무 이　　이 금 강 혜　　결 료 차 상　　무 박 무 해 자　　시
福無異라 以金剛慧로 決了此相하여 無縛無解者면 是

위 입 불 이 법 문
爲入不二法門이니다

　사자獅子보살이 말하였다.

　"죄와 복이 둘이지만, 만약 죄의 본성을 통달하면 곧 복과 다름이 없습니다. 금강의 지혜로 이러한 모양을 깨달아서 속박도 없고 벗어남도 없으면 이것이 둘이 아닌 법문에 들어가는 것이 됩니다."

　세상 사람들은 언제나 죄와 복이라는 이 두 가지의 문제에 전전긍긍하며 산다. 죄의 성품도 본래 공하고 복의 성품도 본래 공하다는 사실을 깨달아 안다면 그것은 금강의 지혜다. 그렇게 되면 죄나 복에 대해서 속박도 없으며 벗어남도 없을 것이다. 이것이 둘이 아닌 법문에 들어가는 것이라고 하였다.

10)

사자의보살 왈유루무루 위이 약득제법등
獅子意菩薩이 曰有漏無漏가 爲二어늘 若得諸法等하면

즉 불 기 누 불 루 상　　불 착 어 상　　역 부 주 무 상　　시
則不起漏不漏想하야 不着於相하며 亦不住無相하리니 是

위 입 불 이 법 문
爲入不二法門이니다

사자의獅子意보살이 말하였다.

"유루와 무루가 둘이지만, 만약 모든 법이 평등함을 얻으면
유루와 무루의 생각을 일으키지 아니하고 형상에도 집착하지
아니하며 또한 형상 없음에도 머물지 아니합니다. 이것이 둘
이 아닌 법문에 들어가는 것이 됩니다."

　유루니 무루니 하는 말은 육근六根으로부터 온갖 번뇌가 새어나
온다고 해서 번뇌의 다른 이름으로 불린다. 아무튼, 번뇌가 새어
나오든 새어나오지 않든 평등한 줄 알면 유루니 무루니 하는 생각
을 일으키지 않는다. 이것이 둘이 아닌 법문에 들어가는 것이라고
하였다.

11)

정해보살 왈유위무위 위이 약리일체수
淨解菩薩이 曰有爲無爲가 爲二어늘 若離一切數하면

즉심여허공 이청정혜 무소애자 시위입불이
則心如虛空하야 以淸淨慧로 無所礙者가 是爲入不二

법문
法門이니다

정해淨解보살이 말하였다.

"유위와 무위가 둘이지만, 만약 일체의 숫자를 떠나면 곧 마음이 허공과 같아서 청정한 지혜로써 걸릴 바가 없습니다. 이것이 둘이 아닌 법문에 들어가는 것이 됩니다."

인因과 연緣에 의하여 만들어진 생멸변화하는 유위有爲나 반대로 각종의 원인과 조건에 의하여 만들어진 것이 아닌 무위無爲나 둘이라면 둘이지만, 백 가지 법 중에 6종六種이 무위니 나머지 수數의 유위니 하는 그 숫자를 떠나면 마음은 텅 빈 허공과 같다. 이것이 둘이 아닌 법문에 들어가는 것이라고 하였다.

12)

나 라 연 보 살　　왈 세 간 출 세 간　　위 이　　　세 간 성 공
那羅延菩薩이 曰世間出世間이 爲二어늘 世間性空이

즉 시 출 세 간　　　어 기 중　　불 입 불 출　　　불 일 불 산　　시
卽是出世間이라 於其中에 不入不出하며 不溢不散이 是

위 입 불 이 법 문
爲入不二法門이니다

나라연那羅延보살이 말하였다.

"세간과 출세간이 둘이지만, 세간의 본성이 공한 것이 곧 출
세간입니다. 그 가운데에 들어가지도 아니하고 나가지도 아니
하며 넘치지도 아니하고 흩어지지도 아니합니다. 이것이 둘이
아닌 법문에 들어가는 것이 됩니다."

불교에서는 출세간出世間이라는 말을 자주 쓴다. 그런데 흔히 세
속에 사는 것을 세간이라 하고 사찰이나 특별한 수행처에서 사는
것을 출세간이라고 생각한다. 『유마경』에서는 세간의 본성이 공한
그 자리가 곧 출세간이라고 하였다. 세간도 출세간도 사람의 안목
에 달려 있다. 어디에 살든지 사는 곳이 공하다는 사실을 알면 곧
출세간이다. 이것이 둘이 아닌 법문에 들어가는 것이라고 하였다.

13)

<ruby>善<rt>선</rt></ruby><ruby>意<rt>의</rt></ruby><ruby>菩<rt>보</rt></ruby><ruby>薩<rt>살</rt></ruby>이 <ruby>曰<rt>왈</rt></ruby><ruby>生<rt>생</rt></ruby><ruby>死<rt>사</rt></ruby><ruby>涅<rt>열</rt></ruby><ruby>槃<rt>반</rt></ruby>이 <ruby>爲<rt>위</rt></ruby><ruby>二<rt>이</rt></ruby>어늘 <ruby>若<rt>약</rt></ruby><ruby>見<rt>견</rt></ruby><ruby>生<rt>생</rt></ruby><ruby>死<rt>사</rt></ruby><ruby>性<rt>성</rt></ruby>하면

<ruby>則<rt>즉</rt></ruby><ruby>無<rt>무</rt></ruby><ruby>生<rt>생</rt></ruby><ruby>死<rt>사</rt></ruby>라 <ruby>無<rt>무</rt></ruby><ruby>縛<rt>박</rt></ruby><ruby>無<rt>무</rt></ruby><ruby>解<rt>해</rt></ruby>하며 <ruby>不<rt>불</rt></ruby><ruby>生<rt>생</rt></ruby><ruby>不<rt>불</rt></ruby><ruby>滅<rt>멸</rt></ruby>하리니 <ruby>如<rt>여</rt></ruby><ruby>是<rt>시</rt></ruby><ruby>解<rt>해</rt></ruby><ruby>者<rt>자</rt></ruby>라사

<ruby>是<rt>시</rt></ruby><ruby>爲<rt>위</rt></ruby><ruby>入<rt>입</rt></ruby><ruby>不<rt>불</rt></ruby><ruby>二<rt>이</rt></ruby><ruby>法<rt>법</rt></ruby><ruby>門<rt>문</rt></ruby>이니다

선의善意보살이 말하였다.

"생사와 열반이 둘이지만, 만약 생사의 본성을 보면 곧 생사가 없어서 속박도 없고 해탈도 없으며 생기지도 아니하고 소멸하지도 아니합니다. 이처럼 이해하는 것이 이것이 둘이 아닌 법문에 들어가는 것이 됩니다."

생사와 열반은 불교에서 가장 높게 관심을 두고 참구하는 주제다. 생사의 본성을 깊이 생각해 보면 생사가 없다. 생사가 없으면 속박도 없고 해탈도 없다. 그래서 「법성게法性偈」에도 "생사와 열반이 같은 것이다."라고 하였다. 이것이 둘이 아닌 법문에 들어가는 것이라고 하였다.

14)

현견보살　왈진부진　위이　　법약구경진　약
現見菩薩이 **曰盡不盡**이 **爲二**어늘 **法若究竟盡**커나 **若**

부진　개시무진상　　무진상　즉시공　　공즉무유
不盡이 **皆是無盡相**이니 **無盡相**이 **卽是空**이라 **空則無有**

진부진상　　　여시입자　시위입불이법문
盡不盡相하리니 **如是入者**가 **是爲入不二法門**이니다

현견現見보살이 말하였다.

"다함과 다하지 아니함이 둘이지만, 법이 만약 구경에 다하거나 만약 다하지 아니하면 모두가 다함이 없는 모양입니다. 다함이 없는 모양이 곧 텅 비어 공空한 것이며 공하면 다함과 다하지 아니한 모양이 없습니다. 이와 같은 이치에 들어가는 것이 이것이 둘이 아닌 법문에 들어가는 것이 됩니다."

다한다[盡]는 말은 다 없어진다는 뜻으로서 "법이 만약 다하거나 다하지 아니함은 모두가 다함이 없는 모습이다."라는 본문의 내용은 일체의 존재인 법은 근본적으로 다함이 없이 지금의 현상 그대로 여여如如하다는 뜻이다. 이것이 둘이 아닌 법문에 들어가는 것이라고 하였다.

15)

보 수 보 살　왈 아 무 아　　위 이　　　아 상 불 가 득
普守菩薩이 **曰我無我**가 **爲二**어늘 **我尙不可得**이어든

비 아　　하 가 득　　　견 아 실 성 자　　불 가 기 이　시 위 입
非我를 **何可得**이리오 **見我實性者**는 **不可起二**니 **是爲入**

불 이 법 문
不二法門이니다

　보수普守보살이 말하였다.

　"아我와 무아無我가 둘이지만, 아도 오히려 얻지 못하는데 아가 없음을 어찌 얻을 수 있겠습니까. 아의 실다운 성품을 보는 사람은 두 가지를 일으키지 아니합니다. 이것이 둘이 아닌 법문에 들어가는 것이 됩니다."

　아我와 무아無我가 둘이 아니라는 말은 본문에 "아도 오히려 얻지 못하는데 아가 없음을 어찌 얻을 수 있겠습니까."라는 말과 같이 아든 무아든 이것은 둘이 아니다. 이것이 둘이 아닌 법문에 들어가는 것이라고 하였다.

16)

전천보살　왈명무명　위이　　무명실성　즉시
電天菩薩이 曰明無明이 爲二어늘 無明實性이 卽是

명　　명역불가취　　이일체수　어기중　평등무
明이라 明亦不可取하야 離一切數하되 於其中에 平等無

이자　시위입불이법문
二者가 是爲入不二法門이니다

전천電天보살이 말하였다.

"명明과 무명無明이 둘이지만, 무명의 실다운 성품이 곧 명이
며 명明도 또한 취할 수 없어서 일체 숫자를 떠났으나 그 가운
데서 평등하여 둘이 없는 것이 이것이 둘이 아닌 법문에 들어
가는 것이 됩니다."

바깥 경계나 사람의 마음이나 밝음과 어둠은 같은 원리다. 밝음
과 어둠을 불교에서는 지혜와 어리석음으로 표현한다. 이 밝음과
어둠은 둘이 아니다. "무명실성즉불성無明實性卽佛性"이라는 「증도
가證道歌」의 구절이 있다. 무명의 성품이 곧 불성이다. 무명無明과
불성佛性은 각각 따로 존재하는 것이 아니라 완전한 하나다. 이것
이 둘이 아닌 법문에 들어가는 것이라고 하였다.

17)

희견보살   왈색   색공   위이   색즉시공   비
喜見菩薩이 曰色과 色空이 爲二어늘 色卽是空이라 非

색멸공   색성   자공   여시   수상행식   식공
色滅空이요 色性이 自空이니 如是하야 受想行識과 識空이

위이   식즉시공   비식멸공   식성   자공   어
爲二어늘 識卽是空이라 非識滅空이요 識性이 自空이니 於

기중   이통달자   시위입불이법문
其中에 而通達者는 是爲入不二法門이니다

희견喜見보살이 말하였다.

"색色과 색이 공空한 것이 둘이지만, 색이 곧 공이며 색이 소
멸한 뒤의 공이 아니므로 색의 본성이 저절로 공합니다. 이처
럼 수상행식과 수상행식이 공함이 둘이 되지만 식이 곧 공이
며 식이 소멸하여 공함이 아닙니다. 식의 본성이 저절로 공하
여 그 가운데 통달하는 것이 이것이 둘이 아닌 법문에 들어가
는 것이 됩니다."

『반야심경般若心經』에서 "색불이공 공불이색 색즉시공 공즉시색
수상행식色不異空 空不異色 色卽是空 空卽是色 受想行識도 또한 그와 같

다."라고 한 가르침과 같다. 『유마경』에서나 『반야심경』에서 중요한 점은 색수상행식色受想行識이 소멸한 뒤에 공하여지는 것이 아니고 색수상행식이 곧 그대로 공空하다는 것이다. 또는 하나하나 인연에 의하여 결합하였기 때문에 그 결합을 분해하면 공이라는 뜻도 아니다. 즉 분석공分析空도 아니고 연기공緣起空도 아니다. 즉공卽空이다. 분석공은 성문들이 이해하는 공이고, 연기공은 연각들이 이해하는 공이며, 즉공은 보살들이 이해하는 공이다. 이것이 둘이 아닌 법문에 들어가는 것이라고 하였다.

18)

명 상 보 살　왈 사 종 이　공 종 이　위 이　　사 종 성
明相菩薩이 **曰四種異**와 **空種異**가 **爲二**어늘 **四種性**이

즉 시 공 종 성　여 전 제　후 제 공 고　중 제 역 공
卽是空種性이라 **如前際**하야 **後際空故**로 **中際亦空**하나니

약 능 여 시 지 제 종 성 자　시 위 입 불 이 법 문
若能如是知諸種性者가 **是爲入不二法門**이니다

명상明相보살이 말하였다.

"지수화풍 네 가지의 다름과 공의 다름이 둘이 되지만, 네

가지의 본성은 곧 공의 본성입니다. 앞과 같이 뒤도 공하므로 중간도 또한 공합니다. 만약 능히 이처럼 모든 종류의 본성을 아는 것이 이것이 둘이 아닌 법문에 들어가는 것이 됩니다."

지수화풍地水火風은 공空이 아니면 존재할 수 없다. 그러므로 지수화풍이 곧 공이며, 공이 곧 지수화풍이다. 그렇다면 결국은 앞도 공이며 뒤도 공이며 중간도 공이다. 이렇게 아는 것, 이것이 둘이 아닌 법문에 들어가는 것이라고 하였다.

19)
妙意菩薩이 曰眼과 色이 爲二어늘 若知眼性하면 於色에

不貪不恚不癡하리니 是名寂滅이라 如是하야 耳聲·鼻香·

舌味·身觸·意法이 爲二어늘 若知意性하면 於法에 不貪

不恚不癡하니라 是名寂滅이라 安住其中이 是爲入不二

법 문
法門이니다

묘의妙意보살이 말하였다.

"눈과 사물이 둘이지만, 만약 눈의 본성을 알면 사물에 대해서 탐내지도 아니하고 성내지도 아니하고 어리석지도 아니합니다. 이것이 이름이 적멸입니다. 이처럼 귀와 소리, 코와 향기, 혀와 맛, 몸과 촉감, 뜻과 법이 둘이지만, 만약 뜻의 본성을 알면 법에 대해서 탐내지도 아니하고 성내지도 아니하고 어리석지도 아니합니다. 이것이 이름이 적멸입니다. 그 가운데 안주하는 것이 이것이 둘이 아닌 법문에 들어가는 것이 됩니다."

사람의 삶의 영역은 육근六根과 육경六境이다. 근과 경은 상대적이기 때문에 둘이라고 하였다. 눈과 사물이 둘이며 귀와 소리가 둘이며 코와 향기가 둘이다. 이처럼 육근과 육경이 둘이다. 그러나 육근의 본성을 알고 육경의 본성을 알면 육경에 대해서도 육근에 대해서도 탐내지도 아니하고 성내지도 아니하고 어리석지도 아니한다. 이것이 둘이 아닌 법문에 들어가는 것이라고 하였다.

20)

무진의보살 왈보시 회향일체지 위이 보
無盡意菩薩이 曰布施와 廻向一切智가 爲二어늘 布

시성 즉시회향일체지성 여시 지계인욕정진
施性이 卽是廻向一切智性이라 如是하야 持戒忍辱精進

선정지혜 회향일체지 위이 지혜성 즉시회
禪定智慧와 廻向一切智가 爲二어늘 智慧性이 卽是廻

향일체지성 어기중 입일상자 시위입불이법
向一切智性이라 於其中에 入一相者가 是爲入不二法

문
門이니다

무진의無盡意보살이 말하였다.

"보시와 일체 지혜에 회향하는 것이 둘이지만, 보시의 본성
이 곧 일체 지혜에 회향하는 본성입니다. 이처럼 지계, 인욕,
정진, 선정, 지혜와 일체 지혜에 회향하는 것이 둘이지만, 지
혜의 본성이 곧 일체 지혜에 회향하는 본성입니다. 그 가운데
서 하나의 모양에 들어가는 것이 이것이 둘이 아닌 법문에 들
어가는 것이 됩니다."

불교에서 보살이 갖추어야 할 여섯 가지 수행인 보시·지계·인
욕·정진 등 육바라밀은 그것이 목적이 아니라 일체 지혜에 회향하
기 위한 것이다. 그러므로 육바라밀과 일체 지혜는 둘이 아니다. 이
것이 둘이 아닌 법문에 들어가는 것이라고 하였다.

21)

深慧菩薩이 曰是空是無相是無作이 爲二나 空卽無

相이요 無相卽無作이라 若空無相無作則無心意識이니

於一解脫門에 卽是三解脫門者라사 是爲入不二法門
이니다

심혜深慧보살이 말하였다.

"공과 무상과 무작이 둘이지만, 공이 곧 무상이며 무상이 곧
무작입니다. 공과 무상과 무작이 곧 심의식心意識이 없음과 같
습니다. 하나의 해탈문에 곧 세 가지 해탈문이라야 이것이 둘
이 아닌 법문에 들어가는 것이 됩니다."

공空과 무상無相과 무작無作이 다른 것[둘]이지만, 공이 곧 무상이며 무상이 곧 무작이라서 셋이 결국 다른 것이 아니고 같은 것이다. 하나하나가 각각 한 가지 해탈문이지만 셋이 하나이므로 삼해탈문三解脫門이 곧 일해탈문一解脫門이다. 이것이 둘이 아닌 법문에 들어가는 것이라고 하였다.

22)

寂根菩薩이 曰佛法衆이 爲二니 佛卽是法이요 法卽
是衆이라 是三寶皆無爲相이니 與虛空等이어던 一切法도
亦爾니 能隨此行者가 是爲入不二法門이니다

적근寂根보살이 말하였다.

"부처님과 법과 대중[승]이 둘이지만, 부처님이 곧 법이고 법이 곧 대중입니다. 이 삼보가 다 무위의 모습이어서 허공과 평등합니다. 일체의 법도 또한 그러하니 능히 이러한 행을 따르는 것이 이것이 둘이 아닌 법문에 들어가는 것이 됩니다."

부처님과 법과 대중[승]이 둘이라는 말은 다른 것이라는 뜻이다. 삼보三寶가 둘이면서 둘이 아니라는 것은 모두가 무위無爲이기 때문에 다른 것이 아니다. 무위라는 것은 허공과 같다. 따라서 일체법도 또한 그렇다. 일체법이 무위법이며 불법佛法이다. 이것이 둘이 아닌 법문에 들어가는 것이라고 하였다.

23)
心無礙菩薩이 曰身과 身滅이 爲二어늘 身이 卽是身滅

이라 所以者何오 見身實相者는 不起見身과 及見滅身

이니 身與滅身이 無二無分別이라 其於中에 不驚不懼者

라사 是爲入不二法門이니다

심무애心無礙보살이 말하였다.

"몸과 몸의 소멸이 둘이지만, 몸이 곧 몸의 소멸입니다. 왜냐하면 몸의 실상을 보는 사람은 몸을 보는 것과 몸의 소멸을 보는 것을 일으키지 아니합니다. 몸과 몸의 소멸이 둘도 없고 분별도 없습니다. 그 가운데서 놀라지도 아니하고 두려워하지도 않는 것이 이것이 둘이 아닌 법문에 들어가는 것이 됩니다.”

몸은 번뇌를 뜻하고 몸의 소멸은 열반을 뜻한다. 번뇌를 소멸한 자리가 열반이며 열반은 번뇌의 반대이다. 그러나 그것은 본질에서는 두 가지가 아니며 나누어질 것도 아니다. 그렇다면 어떤 변화에도 놀랄 것이 아니며 두려워할 것도 아니다. 이것이 둘이 아닌 법문에 들어가는 것이라고 하였다.

24)

上善菩薩이 曰身口意業이 爲二어늘 是三業이 皆無作相이라 身無作相이 卽口無作相이며 口無作相이 卽意無作相이라 是三業無作相이 卽一切法無作相이니 能如

시 수 무 작 혜 자　　시 위 입 불 이 법 문
是隨無作慧者라사 是爲入不二法門이니다

상선上善보살이 말하였다.

"몸과 입과 뜻의 업이 둘이지만, 이 삼업이 모두 지음이 없
는 모습입니다. 몸의 지음이 없는 모습이 곧 입의 지음이 없는
모습이며, 입의 지음이 없는 모습이 곧 뜻의 지음이 없는 모습
입니다. 이 삼업三業의 지음이 없는 모습이 곧 일체법의 지음이
없는 모습입니다. 능히 이처럼 지음이 없는 지혜를 따르는 것
이 이것이 둘이 아닌 법문에 들어가는 것이 됩니다."

사람이 살아가면서 무엇을 작위作爲하는 것은 몸과 말과 생각으
로 하는 것이다. 그러나 이 셋이 하나하나가 지어도 지음이 없는
무작無作의 모습이다. 그러므로 일체법이 모두 지음이 없는 모습이
다. 지음이 없는 모습은 곧 지음이 없는 지혜다. 이것이 둘이 아닌
법문에 들어가는 것이라고 하였다.

25)

복전보살 왈복행죄행부동행 위이   삼행실성
福田菩薩이 曰福行罪行不動行이 爲二어늘 三行實性

즉시공   공즉무복행   무죄행   무부동행
이 卽是空이라 空則無福行하며 無罪行하며 無不動行이니

어차삼행   이불기자   시위입불이법문
於此三行에 而不起者라사 是爲入不二法門이니다

복전福田보살이 말하였다.

"복의 행行과 죄의 행과 움직이지 않는 행이 둘이지만, 세 가지 행의 실다운 본성이 곧 공합니다. 공하다면 복의 행이 없으며 죄의 행도 없으며 움직이지 않는 행도 없습니다. 이 세 가지 행에 일으키지 않는 것이 이것이 둘이 아닌 법문에 들어가는 것이 됩니다."

복이 되는 행동, 죄가 되는 행동, 이러한 문제는 일반적인 불교인들에게 매우 중요하게 생각되는 것들이다. 또 죄도 복도 아닌 움직임이 없는 행동도 있다. 그러나 이 세 가지 행동은 모두가 실다운 자성이 없다. 이러한 이치를 아는 것이 둘이 아닌 법문에 들어가는 것이라고 하였다.

26)

화엄보살　왈종아기이　위이　　견아실상자　불
華嚴菩薩이 **曰從我起二**가 **爲二**어늘 **見我實相者**는 **不**

기이법　　약부주이법　　즉무유식　무소식자　시
起二法이라 **若不住二法**이면 **則無有識**이니 **無所識者**가 **是**

위입불이법문
爲入不二法門이니다

화엄華嚴보살이 말하였다.

"나로부터 두 가지를 일으키는 것이 둘이지만, 나의 실상을
보는 사람은 두 가지 법을 일으키지 아니합니다. 만약 두 가지
법에 머물지 아니하면 곧 앎이 없습니다. 아는 바가 없는 것이
이것이 둘이 아닌 법문에 들어가는 것이 됩니다."

세상사는 모두가 나로부터 남[他]이 있게 된다. 그래서 두 가지가
되지만, 나라는 존재의 실상을 제대로 꿰뚫어 보아 텅 비어 공한
줄 안다면 나와 남이라는 두 가지 법을 일으키지 않는다. 이것이
둘이 아닌 법문에 들어가는 것이라고 하였다.

27)

덕장보살　왈유소득상　위이　　약무소득　　즉
德藏菩薩이 **曰有所得相**이 **爲二**어늘 **若無所得**이면 **則**

무취사　무취사자　시위입불이법문
無取捨라 **無取捨者**가 **是爲入不二法門**이니다

덕장德藏보살이 말하였다.

"얻을 것이 있는 모습이 둘이지만, 만약 얻을 것이 없으면 곧 취하고 버릴 것이 없습니다. 취하고 버릴 것이 없는 것이 이것이 둘이 아닌 법문에 들어가는 것이 됩니다."

얻을 것이 있으면 얻는 자가 있고 따라서 취할 것이 있게 되고 버릴 것도 있게 된다. 모두가 상대적인 차별이 벌어진다. 그러므로 얻을 것이 없는 불교의 근본 이치를 알면 이것이 둘이 아닌 법문에 들어가는 것이라고 하였다.

28)

월상보살　왈암여명　위이　　무암무명　즉무
月上菩薩이 **曰暗與明**이 **爲二**어늘 **無暗無明**이면 **則無**

유이 소이자하 여입멸수상정 무암무명 일
有二라 **所以者何**오 **如入滅受想定**이면 **無暗無明**이니 **一**

체법상 역부여시 어기중 평등입자 시위입불
切法相도 **亦復如是**라 **於其中**에 **平等入者**는 **是爲入不**

이 법 문
二法門이니다

월상月上보살이 말하였다.

"어둠과 밝음이 둘이지만, 어둠도 없고 밝음도 없으면 곧 둘
이 없습니다. 왜냐하면 느낌과 생각이 소멸한 선정에 들어가
면 어둠도 없고 밝음도 없습니다. 일체법의 모양도 또한 다시
이와 같아서 그 가운데에 평등하게 들어가는 것이 이것이 둘
이 아닌 법문에 들어가는 것이 됩니다."

어둠과 밝음을 아는 것은 사람에게 느끼고 생각하는 것이 있기
때문이다. 그런데 만약 느끼고 생각함이 소멸한 선정에 들어가면
어둠도 없고 밝음도 없다. 일체의 법도 또한 그와 같다. 이것이 둘
이 아닌 법문에 들어가는 것이라고 하였다.

29)

보인수보살 왈락열반 불락세간 위이 약불
寶印手菩薩이 曰樂涅槃하고 不樂世間이 爲二니 若不

락열반 불염세간 즉무유이 소이자하 약유
樂涅槃하고 不厭世間이면 則無有二라 所以者何오 若有

박즉유해 약본무박 기수구해 무박무해
縛則有解어니와 若本無縛이면 其誰求解리오 無縛無解면

즉무낙염 시위입불이법문
則無樂厭이니 是爲入不二法門이니다

보인수寶印手보살이 말하였다.

"열반을 좋아하고 세간을 싫어하는 것이 둘이지만, 만약 열반을 좋아하지도 아니하고 세간을 싫어하지도 아니하면 곧 둘이 없습니다. 왜냐하면 만약 속박이 있으면 해탈도 있지만, 만약 본래 속박이 없으면 그 누가 해탈을 구하겠습니까. 속박도 없고 해탈도 없으면 곧 좋아하고 싫어함이 없습니다. 이것이 둘이 아닌 법문에 들어가는 것이 됩니다."

열반을 좋아하고 세간을 싫어하는 것은 분명히 둘이다. 만약 열반을 좋아하지 아니하고 세간을 싫어하지 아니하면 열반도 세간

도 없다. 좋은 것도 싫은 것도 없다. 속박도 해탈도 없다. 이것이
둘이 아닌 법문에 들어가는 것이라고 하였다.

30)

주 정 왕 보 살   왈 정 도   사 도 위 이   주 정 도 자   즉
珠頂王菩薩이 曰正道와 邪道爲二어늘 住正道者는 則

불 분 별 시 사 시 정   이 차 이 자   시 위 입 불 이 법 문
不分別是邪是正하나니 離此二者는 是爲入不二法門이

니다

주정왕珠頂王보살이 말하였다.

"정도正道와 사도邪道가 둘이지만, 정도에 머문 사람은 곧 사
도와 정도를 분별하지 아니합니다. 이 두 가지를 떠난 것이 이
것이 둘이 아닌 법문에 들어가는 것이 됩니다."

삿된 법과 바른 법은 분명히 둘이지만, 만약 바른 법에 머문 사
람이라면 삿되다, 바르다는 것이 없다. 그것을 나누는 사람은 아
직 바른 법에 머물지 않았기 때문이다. 이것이 둘이 아닌 법문에 들
어가는 것이라고 하였다.

31)

낙실보살　왈실불실　위이　　실견자　상불견실
樂實菩薩이 曰實不實이 爲二나 實見者는 尙不見實

　　　하황비실　소이자하　비육안소견　　혜안
이어든 何況非實가 所以者何오 非肉眼所見이요 慧眼으로

내능견　　이차혜안　무견무불견　　시위입불이법
乃能見이니 而此慧眼은 無見無不見이라 是爲入不二法

문
門이다

　낙실樂實보살이 말하였다.

　"진실과 진실이 아님이 둘이지만, 진실을 보는 사람은 오히
려 진실도 보지 아니하는데 어찌 하물며 진실이 아님을 보겠
습니까. 왜냐하면 육안으로 보는 바가 아니며 혜안으로 능히
봅니다. 이 혜안은 봄도 없고 보지 않음도 없습니다. 이것이
둘이 아닌 법문에 들어가는 것이 됩니다."

　진실과 진실이 아닌 것은 분명히 둘이지만, 진실을 제대로 보는
사람은 진실마저 보지 않는다. 그런데 하물며 진실이 아닌 것을 보
겠는가. 이것이 둘이 아닌 법문에 들어가는 것이라고 하였다.

32)

여시 제 보 살   각 각 설 이   문 문 수 사 리   하 등
如是諸菩薩이 各各說已하시고 問文殊師利호대 何等이

시 보 살   입 불 이 법 문   문 수 사 리 언   여 아 의 자
是菩薩의 入不二法門이니까 文殊師利言하사대 如我意者

      어 일 체 법   무 언 무 설   무 시 무 식   이 제 문 답
인댄 於一切法에 無言無說하며 無示無識하야 離諸問答이

시 위 입 불 이 법 문
是爲入不二法門이라하노라

　이처럼 모든 보살이 각각 설하여 마치고 나서 문수사리에게
물었다.

　"무엇이 보살의 둘이 아닌 법문에 들어가는 것입니까?"

　문수사리가 말하였다.

　"저의 생각으로는 일체법에 언설言說이 없으며 보임도 없고
앎도 없어서 모든 문답을 떠난 것이 이것이 둘이 아닌 법문에
들어가는 것이 됩니다."

　지금까지 31명의 보살에게 둘이 아닌 법을 물어서 들었다. 이제
문수사리보살이 견해를 말할 차례다. 문수사리보살은 일체법이 말

을 할 것도 없으며 보일 것도 없으며 알 것도 없어서 모든 문답을 떠난 것이 이것이 둘이 아닌 법문에 들어가는 것이라고 하였다. 그래서 지금까지의 언설을 모두 부정하여 버렸다. 그리고 자신만의 주장인 언설을 떠난 것이라고 하였다.

33)

於是에 文殊師利가 問維摩詰호대 我等은 各自說已

仁者는 當說何等이 是菩薩의 入不二法門이니까 時

에 維摩詰이 黙然無言커늘 文殊師利가 歎日善哉善哉라

乃至無有文字言語가 是眞入不二法門이니다 說是入不

二法門品時에 於此衆中五千菩薩이 皆入不二法門하야

得無生法忍하니라

이에 문수사리가 유마힐에게 물었다.

"우리는 각각 스스로 다 설하였습니다. 어지신 분은 마땅히 무엇이 보살의 둘이 아닌 법문에 들어가는 것이라고 말씀하시겠습니까?"

그때에 유마힐은 묵묵히 말이 없었다.

문수사리가 찬탄하여 말하였다.

"훌륭하고 훌륭하십니다. 문자와 언어가 없는 것이 참으로 둘이 아닌 법문에 들어가는 것입니다."

이 불이법문품不二法門品을 설할 때에 이 대중 가운데 5천 보살이 모두 다 둘이 아닌 법문에 들어가서 무생법인無生法忍을 얻었다.

드디어 유마 거사가 둘이 아닌 법을 이야기할 차례다. 문수사리 보살이 유마 거사에게 불이법문不二法門에 들어가는 것을 물었다. 유마 거사는 묵묵히 말이 없었다. 이것을 만고에 절창이라고 찬탄하는 '비야리 성城의 두구杜口'라고 한다. 유마 거사가 비야리 성에서 입을 막고 둘이 아닌 법문에 들어가는 도리를 보였다는 뜻이다. 문수보살도 "훌륭하십니다. 훌륭하십니다."라고 찬탄하였다. 여기까지가 그 유명한 「불이법문품」이다. 『유마경』의 절정이라고들

한다.

삼장법사三藏法師가 수년에 걸쳐 천신만고 끝에 부처님의 경전을 인도에서 모시고 왔는데, 장안에 다 도착하여 어느 강가에서 잠깐 쉬고 있을 때 바람이 불어서 경전이 날아갔다. 여기저기 흩어진 경전을 주워서 펼쳐 보니 경전 속에는 글자가 한 자도 없었다. 경전의 어떤 말씀이 그 고생을 대신할 수 있겠는가? 어떤 말씀이라야 진정 참다운 진리를 표현할 수 있겠는가? 진정한 진리는 말과 문자로써 표현할 수 없다는 도리를 분명하게 보여 준 일이 아닐까? 유마 거사도 또한 무슨 말로 둘이 아닌 이치를 설명할 수 있겠는가. 묵묵할 수밖에 없지 않은가.

유마경 강설 中 끝

如天 無比

1943년 영덕에서 출생하였다.

1958년 출가하여 덕흥사, 불국사, 범어사를 거쳐 1964년 해인사 강원을 졸업하고 동국역경연수원에서 수학하였다.

10여 년 선원생활을 하고 1976년 탄허 스님에게 화엄경을 수학하고 전법, 이후 통도사 강주, 범어사 강주,

은해사 승가대학원장, 대한불교조계종 교육원장, 동국역경원장, 동화사 한문불전승가대학원장 등을 역임하였다.

2018년 5월에는 수행력과 지도력을 갖춘 승랍 40년 이상 되는 스님에게 품서되는 대종사 법계를 받았다.

현재 부산 문수선원 문수경전연구회에서 150여 명의 스님과 300여 명의 재가 신도들에게 화엄경을 강의하고 있다.

또한 다음 카페 '염화실'(http://cafe.daum.net/yumhwasil)을 통해

'모든 사람을 부처님으로 받들어 섬김으로써 이 땅에 평화와 행복을 가져오게 한다.'는 인불사상人佛思想을 펼치고 있다.

저서로

『대방광불화엄경 강설』(전 81권), 『대방광불화엄경 실마리』, 『무비 스님의 왕복서 강설』,

『무비 스님이 풀어 쓴 김시습의 법성게 선해』, 『법화경 법문』, 『신금강경 강의』, 『직지 강설』(전 2권),

『법화경 강의』(전 2권), 『신심명 강의』, 『임제록 강설』, 『대승찬 강설』, 『당신은 부처님』,

『사람이 부처님이다』, 『이것이 간화선이다』, 『무비 스님과 함께하는 불교공부』, 『무비 스님의 증도가 강의』,

『일곱 번의 작별인사』, 무비 스님이 가려 뽑은 명구 100선 시리즈(전 4권) 등이 있고

편찬하고 번역한 책으로 『화엄경(한글)』(전 10권), 『화엄경(한문)』(전 4권), 『금강경 오가해』 등이 있다.

무비 스님의 유마경 강설 中

| 개정판 발행_ 2020년 2월 24일

| 지은이_ 여천 무비(如天 無比)
| 펴낸이_ 오세룡
| 편집_ 박성화 손미숙 김정은 김영미
| 기획_ 최은영 곽은영
| 디자인_ 고혜정 김효선 장혜정
| 홍보 마케팅_ 이주하
| 펴낸곳_ 담앤북스
       서울특별시 종로구 새문안로3길 23 경희궁의 아침 4단지 805호
       대표전화 02)765-1251 전송 02)764-1251 전자우편 damnbooks@hanmail.net
       출판등록 제300-2011-115호
| ISBN 979-11-6201-208-6 (04220)
       979-11-6201-206-2 (세트)

정가 55,000원(전 3권 세트)